galería
arvil

Galería Arvil, Cerrada de Hamburgo 9, Zona Rosa, 06600 México, D. F.
Teléfono (52) 5207 2707, fax (52) 5207 3994

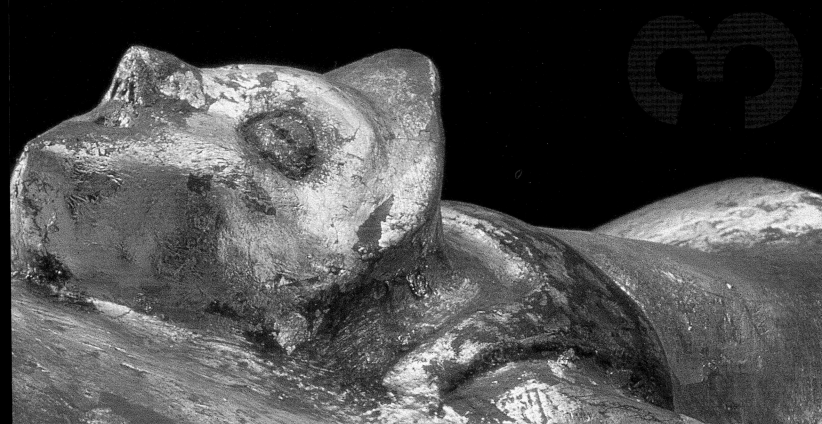

La grandeza, sólo se disfruta en esta sala de arte.

México reconoce al líder, en la más impresionante obra maestra de arte contemporáneo: Ford Grand Marquis '99. En su diseño, se aprecia el más avanzado dominio del espacio. Sus detalles de lujo y comodidad, conviven en un ambiente de perfecta armonía.

El interior de Grand Marquis, es una sala de arte donde se exhiben las más innovadoras expresiones de tecnología y confort. Sus amplios asientos han sido creados para el disfrute de sus ocupantes. Por supuesto, su impecable manejo, proporciona un dominio absoluto del movimiento.

Y ahora, para consolidar la maestría de su creación, Ford Grand Marquis ha merecido la máxima calificación en seguridad con las 5 estrellas otorgadas por National Highway Transportation Safety Administration.

Grand Marquis '99
Definición de Grandeza.

EL DISEÑO DE UNA NUEVA ERA

BOUTIQUES CARTIER:
México, D.F.: General M. Lazcano No. 89 esq. Altavista, San Angel Tel: 56-16-3303 Fax: 56-16-3302
Amberes No. 9, Zona Rosa, Tels: 52-07-6109 y 52-07-5989
Presidente Mazaryk No. 438, Polanco Tels: 52-81-3362 y 52-81-5528
Monterrey: Calz. del Valle No. 472 Ote. Garza, García N. L. Tels: 01 (8) 35-0177 y 35-0477
Cancún: Plaza Caracol, Cancún zona libre, Q. Roo Tels: 01 (98) 83-4036 y 83-0767

De negocios a Stüttgart.

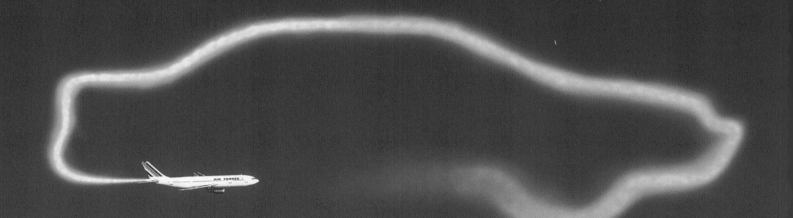

Con Air France siempre hay un destino a su medida.
Lo llevamos a más de 50 destinos en Europa haciendo una conexión rápida y eficiente en París,
para que usted llegue justo el día que le conviene.
Y todo con el placentero servicio que sólo L' Espace 127 (Business Class) le puede ofrecer.

AIR FRANCE

LLEGANDO AL CORAZÓN DEL MUNDO

TANE

ORFEBRES

CENTRO Y CHAROLA BALI

MONT BLANC

Sólo si te das el tiempo realmente lo disfrutarás.

*Meisterstück
Dual Time Oro de 18 K.*

Montblanc Boutique

Writing Instruments · Watches · Leather · Jewellery · Eyewear

Palmas 250, México D.F. Tel. 5 202 8522 Fax. 5 202 8251

¿Cuántos autos de lujo le ofrecen una sofisticada y agresiva línea europea, la potencia de 253 CF y diseño "Cab-forward" de nueva generación?

El Chrysler 300 ha sido desde 1955 uno de los au
desempeño en los Estados Unidos. Ahora, el nuevo
país con un potente motor de aluminio V-6, "Hig
elegante y amplio espacio interior, resultado del d
generación; transmisión auto/manual Autostick®, siste
en asiento, espejos y radio; frenos ABS, suspensió
ruedas, control automático de temperatura, calefa
sistema de audio Infinity II de 320 watts y 11 bocina
conducir un auto de lujo... Chrysler 300M.
Disponibilidad limitada.

El equipo, opciones y/o especificaciones de los vehículos de Chrysl
a disponibilidad. Para mayor información consulte a su distribuidor

Chrysler 300M

ás potentes y con mejor
sler 300M llega a nuestro
put" de 253 CF; el más
"Cab-forward" de nueva
rsonalizado de memorias
ependiente en las cuatro
n asientos delanteros y
a la experiencia única de

CHRYSLER

GRAN INGENIERIA. GRANDES AUTOS.

Banamex
hace historia

Como un cultivo de formas, anécdotas y expresiones, Banamex ha hecho un pacto con la historia y el porvenir de nuestro México.

Desde el génesis de las costumbres y hasta las más vanguardistas tendencias de la ciencia, el arte y la cultura, Banco Nacional de México ha dedicado un gran esfuerzo a recuperar nuestro legado artístico, restaurar y conservar monumentos arquitectónicos, apoyar la cultura y la tecnología e incentivar las obras de carácter social, económico y étnico dentro de las comunidades rurales; sumándonos a la vida nacional, comprometiéndonos con nuestra historia.

Promoviendo el hacer y el saber mexicano, con expresiones sociales y culturales entrañables...
Banamex hace historia

Reserva de la Familia. Un tequila de sangre azul.

el ar

Resplandor del tiempo

te de Cartier

El Mejor Catálogo de América

Printing Industries of America, Inc.

Printing Industries of America, Inc.
Premier Print Awards
1998 BEST OF CATEGORY
Reproducciones Fotomecanicas, S.A. de C.V.
Navidad la Europea

El Mejor catálogo de América impreso en rotativa por Refosa, recibió de la PIA (Printer Industries of America) el reconocimiento Best of Category y obtuvo el codiciado Benny en The Premier Print Awards 1998, enalteciendo con ello las Artes Gráficas en México.

REPRODUCCIONES FOTOMECANICAS S.A. DE C.V.

DEMOCRACIAS 116   COL. SAN MIGUEL AMANTLA   02700 MEXICO,D.F.   TEL. 358 1055

CERÁMICA DE MATA ORTIZ

ARTES DE MEXICO

Revista libro número 45 • 1999 • Fundada en 1953 por Miguel Salas Anzures y Vicente Rojo

DIRECTOR GENERAL
Alberto Ruy Sánchez Lacy
SUBDIRECCIÓN
Margarita de Orellana
GERENTE DE ADMINISTRACIÓN
Teresa Vergara
JEFA DE REDACCIÓN
Ana María Pérez Rocha
JEFE DE DISEÑO
Luis Rodríguez
JEFA DE PRODUCCIÓN
Susana González
SECRETARIA DE REDACCIÓN
Sandra Luna
DISEÑO
Elisa Orozco
Héctor Hernández
Estela Arredondo
EDICIÓN EN INGLÉS
Michelle Suderman
ASISTENTE DE REDACCIÓN
Eduardo González
CORRECCIÓN
Stella Cuéllar
Gabriela Olmos
Elsa Torres Garza
Richard Moszka (inglés)
TRADUCCIÓN
Jessica Johnson
John Page
PUBLICIDAD
Yolanda Aburto
Laura Becerril
Héctor Cash Carmona S.
Martha Ruy Sánchez

OFICINAS Y SUSCRIPCIONES
Plaza Río de Janeiro 52
Colonia Roma
C.P. 06700
México, D. F.
Teléfonos:
5525 5905, 5208 4503
5525 4036, 5208 3205
Fax: 5525 5925
Correo electrónico:
artesmex@internet.com.mx

CONSEJO DE ASESORES
Alfonso Alfaro
Luis Almeida
Homero Aridjis
Juan Barragán
Huberto Batis
Fernando Benítez
Alberto Blanco
Antonio Bolívar
Rubén Bonifaz Nuño
Julieta Campos
Efraín Castro
Leonor Cortina
José Luis Cuevas
Salvador Elizondo
Cristina Esteras
Manuel Felguérez
Beatriz de la Fuente
Carlos Fuentes
Sergio García Ramírez
Concepción García Sáiz
Teodoro González de León
Andrés Henestrosa
José E. Iturriaga
Miguel León-Portilla
Jorge Alberto Lozoya
Alfonso de Maria y Campos
José Luis Martínez
Eduardo Matos Moctezuma
Vicente Medel
Álvaro Mutis
Bruno J. Newman
Luis Ortiz Macedo
Brian Nissen
Ricardo Pérez Escamilla
Jacques Pontvianne
Pedro Ramírez Vázquez
Vicente Rojo
Federico Sescosse L.
Guillermo Tovar
José Miguel Ullán
Juan Urquiaga
Héctor Vasconcelos
Eliot Weinberger
Ramón Xirau

ASAMBLEA DE ACCIONISTAS
Víctor Acuña
Cristina Brittingham de Ayala
Mita Castiglioni de Aparicio
Armando Colina Gómez
Margarita de Orellana
Olga María de Orellana
Ma. Eugenia de Orellana de Hutchins
Octavio Gómez Gómez
Rocío González de Canales
Michèle Sueur de Leites
Bruno J. Newman
Jacques Pontvianne
Abel L. M. Quezada
Alberto Ruy Sánchez Lacy
José C. Terán Moreno
José Ma. Trillas Trucy
Teresa Vergara
Jorge Vértiz

CONSEJO DE ADMINISTRACIÓN
PRESIDENTE
Alberto Ruy Sánchez Lacy
VICE PRESIDENTE
Jacques Pontvianne
CONSEJEROS
Octavio Gómez Gómez
Phillip Hutchins
Bruno J. Newman
Margarita de Orellana
Abel L. M. Quezada
Enrique Rivas Zivy
Jorge Sánchez Ángeles
Teresa Vergara
COMISARIO
Julio Ortiz
SECRETARIO
Luis Gerardo García Santos Coy

INSTITUTO DE
INVESTIGACIONES
ARTES DE MÉXICO
DIRECTOR
Alfonso Alfaro

FOTOGRAFÍA
PORTADA:
Jorge Vértiz
INTERIORES:
Jorge Vértiz, todas excepto:
Carlos Blanco: págs. 16 (arriba), 17 (arriba) y 18.
Diego Samper: págs. 1, 10-11, 12, 14, 15, 20-21, 22, 23, 24, 25, 28, 36-37, 38, 39, 40, 41, 42 (derecha), 88-89 (arriba).
Christian Wenhammar: pág. 13 (arriba).
W. Ross Humphreys: págs. 26-27.
Suplemento *El arte de Cartier. Resplandor del tiempo.* Nick Welsh. © Cartier.

IMPRESIÓN
Reproducciones Fotomecánicas, S.A. de C. V. Impreso en papel Creaprint de 135 gramos, Torras Papel, comercializado por Unisource, S.A. de C. V. y encuadernado en Encuadernadora Mexicana, S.A. de C.V.

Artes de México es una publicación bimestral de Artes de México y del Mundo, S.A. de C.V. Miembro núm. 127 de la CANIEM. Certificado de Licitud de Contenido núm. 55. Certificado de Licitud de Título otorgado por la Comisión Calificadora de Publicaciones y Revistas Ilustradas núm. 99. Reserva de Título núm. 304-88. Como revista: ISSN 0300-4953. Como libro: ISBN 968-6533-83-4. Distribuida por Artes de México y DIMSA, Mariano Escobedo 218, C. P. 11370, México, D. F. Abril de 1999.

AGRADECIMIENTOS
Maria y Barry King
Jim Hills
W. Ross Humphreys
Bill Gilbert
Spencer H. MacCallum
Walter Parks
Amelia Martínez
Marlene Escobar
Andrea Fisher
Juan Quezada Celado
Guillermina Olivas
Jorge Quintana
Jesús Álvarez
Museo de las Culturas del Norte, CNCA-INAH
Austin Museum of Art Elizabeth Ferrer
Museo Amparo Ángeles Espinosa Yglesias
Museo Franz Mayer Héctor Rivero-Borrell Guillermo Andrade Agustín García Real
Museo de Historia Mexicana, Monterrey, Nuevo León José Emilio Amores Rocío González de Canales
Agfa de México Guy van Puyvelde Jesús Topete Peter Klees
AMACUP, A. C.

Las piezas de la colección Native & Nature fueron elaboradas ex profeso para la presente exposición itinerante.

Jorge Quintana R. Olla con cuello largo y decoración polícroma. Colección Native & Nature.

Mata Ortiz no sólo es fecundo en artesanos; en este pequeño poblado norteño las combinaciones de los colores del barro con las formas de las ollas, los pigmentos naturales y los trazos intrincados también se multiplican y diversifican por centenares. Elegir una vasija que encierre, en sí misma, las características distintivas de la cerámica elaborada por los más de 300 artistas, que con independencia creativa ahí trabajan, constituye una labor imposible de realizar. De ahí que hayamos elegido ejemplificar en nuestra portada esta diversidad de estilos. De izquierda a derecha: Juan Quezada C., olla de barro morado con decoración negra, col. particular; Mauro "Chico" Corona Q., Olla de barro blanco con boca cerrada, col. Native & Nature. Juan Quezada C., olla de barro rojo quemada por reducción y decorada en blanco, col. particular. Lydia Quezada C., olla con decoración en negro mate y acentos en negro brillante sobre negro bruñido. 38 x 26.5 cm, col. Native & Nature.

NÚMERO COORDINADO POR MARTA TUROK

CERÁMICA DE MATA ORTIZ

Manuel "Manolo" Rodríguez Guillén. Cuatro aspectos de la olla con culebras y lagartos. 21.6 x 24.1 cm. Colección particular.

EDITORIAL

LA PASIÓN MATERIAL

ALBERTO RUY SÁNCHEZ LACY

EN LA GEOMETRÍA SEDUCTORA DE LA CERÁMICA
de Mata Ortiz, en el estado de Chihuahua,
se nos revela uno de los fenómenos creativos artesanales más interesantes de México. Su
irrupción en el ámbito cultural ha sido contundente por la
alta calidad estética de sus obras. Pero no es menos sorprendente que se trate de un surgimiento relativamente reciente que en
menos de tres décadas se ha extendido hasta modificar la actividad económica de una población. Surgió con una voluntad explícita de revitalizar una tradición muy antigua, pero descontinuada por siglos. La voluntad de un hombre que, mientras buscaba leña en el monte, fue llevado por su curiosidad a una de las cuevas de la región,
donde encontró unas ollas que le parecieron bellísimas. Eran vasijas muy antiguas, algunas de ellas pertenecientes a entierros, la gente de su pueblo las llamaba "ollas pintas". Se apoderó de él un misterio:
¿Cómo pudieron aquellos hombres crear tanta belleza con lo poco que tenían a su alrededor? Y el misterio se
convirtió en reto: él también tenía que crear esa belleza. Inició un largo proceso de experimentación y de autofor-
mación como alfarero: una aventura. Lo que comenzó como una pasión lateral se convertiría en el centro de su vida y
de la vida de Mata Ortiz, su pueblo. El encuentro azaroso con un comprador sensible y, a través de él, con un mercado,
desencadenó esa transformación. Marta Turok, coordinadora de este número y de la exposición que acompaña, entrevista a
ese hombre sorprendente, Juan Quezada, y nos entrega un texto fundamental. Vemos en él la pasión de un creador y sus relaciones con el dinero, con sus materiales y el oficio, con una audiencia intermediaria entre el artesano y su mercado. Vemos
un ejemplo de rigor y placer: una pasión material, eso que junto con el barro produce una auténtica artesanía alfarera. Juan
Quezada nos dice cómo antes de ser pintada cada olla le habla y cómo de ese diálogo surgen sus diseños. La abstracción
de la forma de la olla se suma a la abstracción de su dibujo, multiplicando su efecto estético. Con extrañeza y fascinación
mis ojos siguen las líneas alrededor de una vasija. Uno de los creadores de esta cerámica las llama calles o caminos.
Otro más confiesa que en las líneas laberínticas de sus ollas está representada su vida, aunque los otros no la
vean. Las líneas o caminos se multiplican, se entretejen, pueden incluso hundirse en el barro. Algunos observadores ven con exageración en cada una de esas espirales rigurosas que ascienden y descienden una
especie de mandala: un diagrama geométrico ritual que es instrumento de contemplación, imagen de un viaje interno y de un estado anímico. Sin que haya en la cerámica de Mata Ortiz
una preocupación religiosa mística, el rigor de sus trazos nos habla necesariamen-
te de una creación que sí es ritual, pero en el ámbito de los rituales del
arte. Además, sus mejores obras son, materialmente, un intenso llamado a la contemplación estética.

**Damián Escárcega
Quezada.
Olla de barro blanco con
decoración seccionada en
octavos. 35.6 x 28 cm.
Colección particular.**

PÁGINAS 6 Y 7:
**Humberto Ponce Ávalos y
Blanca Almeida Gallegos.
Olla con decoración
polícroma a cuadros.
29.2 x 21.6 cm.
Colección particular.**

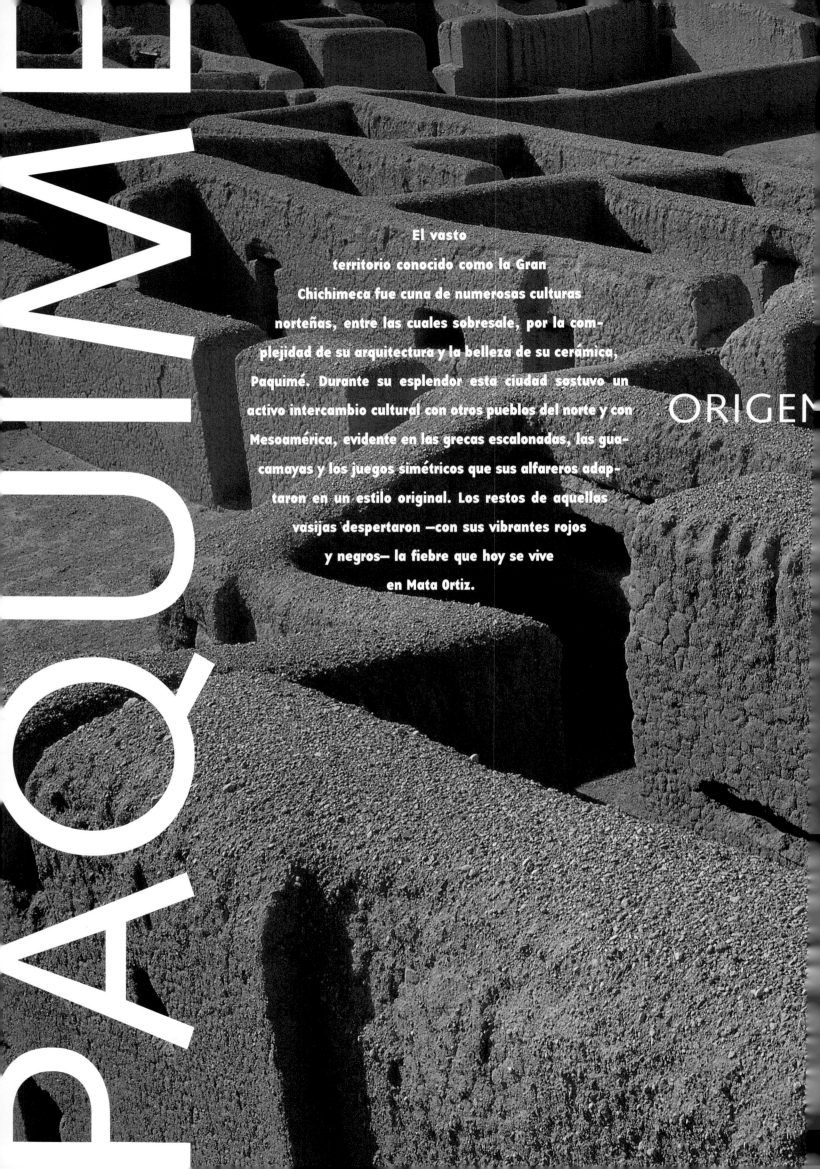

PAQUIMÉ

El vasto
territorio conocido como la Gran
Chichimeca fue cuna de numerosas culturas
norteñas, entre las cuales sobresale, por la complejidad de su arquitectura y la belleza de su cerámica,
Paquimé. Durante su esplendor esta ciudad sostuvo un
activo intercambio cultural con otros pueblos del norte y con
Mesoamérica, evidente en las grecas escalonadas, las guacamayas y los juegos simétricos que sus alfareros adap-
taron en un estilo original. Los restos de aquellas
vasijas despertaron —con sus vibrantes rojos
y negros— la fiebre que hoy se vive
en Mata Ortiz.

ORIGEN

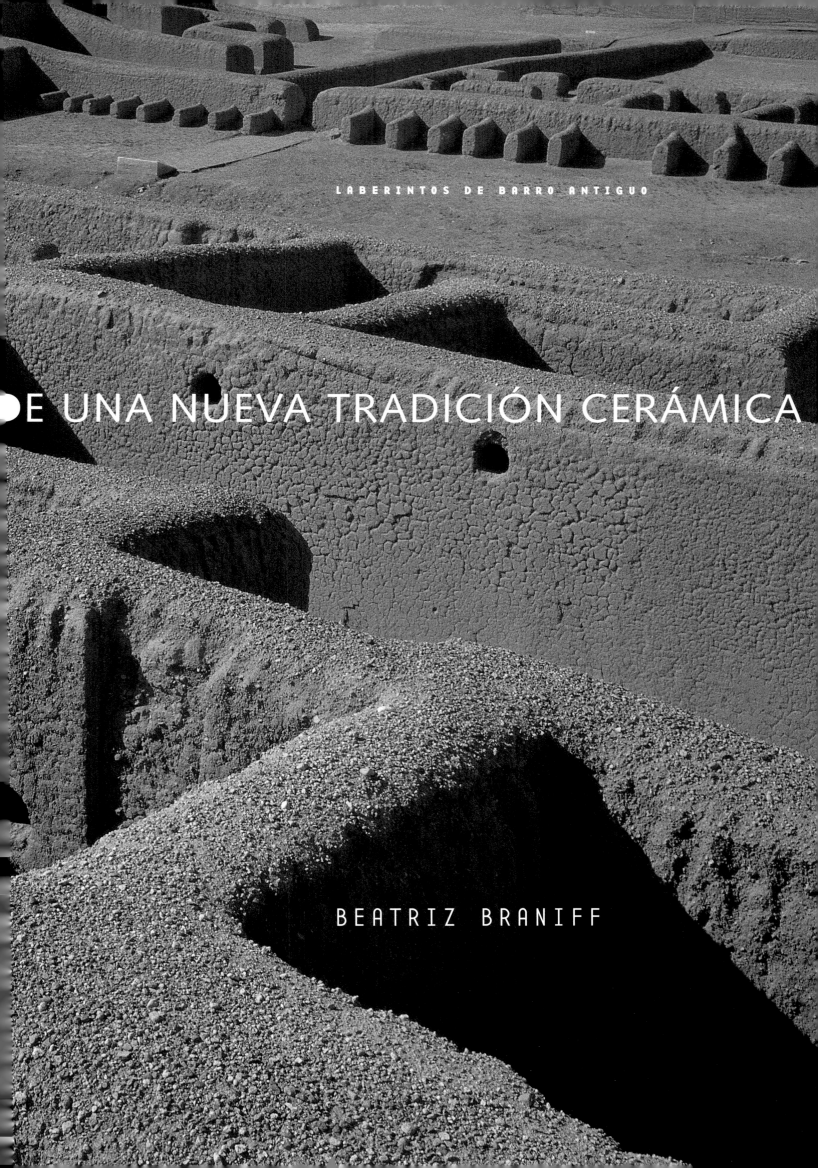

LABERINTOS DE BARRO ANTIGUO

E UNA NUEVA TRADICIÓN CERÁMICA

BEATRIZ BRANIFF

LOS ILUSTRES HISTORIADORES DE LA COLONIA, SAHAGÚN,

Motolinía y, más tarde, Ixtlilxóchitl y de Herrera señalan que el enorme territorio que se extendía al norte de los imperios tarasco y mexica era llamado Chichimecatlalli —tierra de los chichimecas— o la Gran Chichimeca, como luego fue conocida por los españoles. La Chichimecatlalli incluía, además, territorios que fueron de la Nueva España y de México, y que hoy conforman lo que los estadounidenses llaman el "Suroeste" (Arizona, Nuevo México, Colorado, Utah). Este nombre resulta errado si se utiliza para las épocas que ahora nos interesan, pues sólo puede aplicarse a acontecimientos ocurridos hace menos de 150 años. Curiosamente, recientes estudios arqueológicos y etnográficos de la Smithsonian Institution extienden su "Suroeste" hasta Guanajuato, lo que, a decir de un conocido antropólogo estadounidense, "es un hábito etnocentrista de los norteamericanos", pues, como agrega otro, "la región, vista desde México, debe llamarse el Noroeste". En la Gran Chichimeca vivieron pueblos pertenecientes a diversas tradiciones culturales que incluían tanto grupos civilizados como aldeanos y nómadas, cuyos territorios y nivel cultural variaron con el tiempo. Algunos vivían de la caza y la recolección —los teochichimecas—; otros eran los guamares, los guachichiles y los zacatecos, grupos nómadas que en el siglo XVI se desplazaban por Guanajuato, Zacatecas y San Luis Potosí; otros eran ancestros norteños de los mexicas y los acolhuas, que se conocen como tolteca-chichimecos y que, en el primer milenio de nuestra era, desarrollaron una gran cultura en los actuales estados de Zacatecas y Guanajuato, territorio que abandonaron hacia los años 1000-1200. Paquimé,

como la llamaban los rústicos indígenas que habitaban la zona en el siglo XVI, o Casas Grandes, como la bautizarían tiempo después los españoles, se ubicaba en los confines de la Gran Chichimeca. Esta importante ciudad participó de una antigua tradición cultural norteña que alcanzó su notable desarrollo gracias a ingeniosas adaptaciones al medio ambiente, generalmente árido: complejas obras de irrigación, de captación de agua de lluvia y de control de la erosión. Hay que aclarar, sin embargo, que aquella antigua tradición, y Paquimé misma, sostuvieron, en el primer milenio de nuestra era, continuas relaciones con las culturas sureñas que nosotros conocemos como mesoamericanas, como la tolteca-chichimeca. Posteriormente se relacionaron con los toltecas, los mixtecas, los mayas y los pueblos establecidos a lo largo de las costas de occidente. No es extraño, por lo tanto, que en aquel lejano noroeste, y especialmente en Paquimé, existan elementos mesoamericanos —generalmente ideológicos—asociados a las élites sureñas, como las canchas del juego de pelota, los cascabeles de cobre y las representaciones de algunos dioses como Tláloc o como la "serpiente emplumada", la "serpiente de turquesa" o "de fuego" cinceladas en los llamados "espejos de cintura". Esta presencia sugiere la existencia de actividades comerciales, y quizá políticas, entre paquimenses y los nobles sureños. En Mesoamérica, por otra parte, se han hallado materiales exóticos que fueron muy apreciados, como la concha iridiscente y la turquesa, procedentes de las costas y minas norteñas. Desde el punto de vista arquitectónico, Paquimé siguió inicialmente (hacia 750 d.C.) el estilo que predominaba en aquel remoto noroeste. Las aldeas estaban formadas por peque-

13

Héctor Gallegos Esparza
y Graciela Martínez
Flores.
Vasija con tapa en
forma de "T".
21.6 x 18.4 cm.
Colección Native & Nature.

ARRIBA Y PÁGINA
SIGUIENTE:
Puerta en forma de "T".
Paquimé, Chihuahua.
CNCA-INAH.

Vasija polícroma
antropomorfa.
Paquimé.
Periodo medio
(1200 a 1450).
Museo de las Culturas del
Norte, Casas Grandes,
Chihuahua. CNCA-INAH.

las casas de planta circular u ovalada, con piso excavado a diferente profundidad y techo en forma de domo, por lo que se conocen como casas-foso. Posteriormente, hacia 1200, cuando alcanzó su máxima complejidad urbana, Paquimé adoptó el nuevo estilo de casas-apartamento, edificios compuestos por muchos cuartos contiguos —a veces de varios pisos— que desde el año 1000 existían en aquel territorio y que siglos después los españoles llamarían "pueblos". Por fortuna, algunos de ellos todavía sobreviven en Arizona y Nuevo México. Paquimé está constituida por complejas unidades habitacionales, de varios cuartos, pisos y plazas, con muros de tierra apisonada, columnas de madera y techos de vigas y terrados que a lo lejos parecen un laberinto de enormes proporciones. Existen también unidades ceremoniales que circundan las habitacionales; destacan dos canchas de juego de pelota y el montículo de la Cruz, probablemente utilizado como un mirador astronómico. El agua potable era traída a la ciudad desde un manantial relativamente lejano mediante un sistema de canales y acequias; primero se transportaba a los aljibes, para luego distribuirla a las unidades habitacionales que, a su vez, tenían un sistema de drenaje. Los paquimenses captaban el agua de la lluvia que cae torrencialmente sobre la Sierra Madre Occidental para dirigirla a las áreas de cultivo localizadas en la parte baja de la sierra, muy cerca de la ciudad. Para hacerlo

construyeron innumerables terrazas y muros de control que significaron un enorme esfuerzo. De acuerdo con nuestra información, Paquimé era el centro mercantil y religioso de un poderoso señorío constituido por pueblos y aldeas, distribuidos a lo largo del río Casas Grandes, así como en la ribera de sus afluentes que bajan de la Sierra Madre Occidental. Sus territorios abarcaban, al poniente, hasta el río Sonora, en la entidad que actualmente lleva ese nombre; hacia el oriente, el dominio de Paquimé sólo evitó las regiones más áridas del llamado desierto de Chihuahua. Sus rutas comerciales se extendían mucho más allá de sus territorios: de las costas del Mar de Cortés y del Océano Pacífico, a lo largo de Baja California, obtenían bellas conchas y caracoles que los artesanos utilizaban en la elaboración de trompetas, brazaletes y adornos de todo tipo; de las minas norteñas de Arizona y Nuevo México provenía la turquesa, con la que creaban mosaicos y joyas que eran luego distribuidas no sólo en el noroeste, sino también en Mesoamérica, hasta Nicaragua y Honduras; de estas regiones sureñas se importaban plumas y guacamayas vivas que, tras ser resguardadas en jaulas especiales, se destinaban a los ritos religiosos y funerarios. Paquimé también importaba cerámicas procedentes de Arizona y Nuevo México y, en menor cantidad, de Nayarit, Jalisco y Durango. A su vez, esta ciudad exportó un gran número de sus bellas cerámicas polícromas ha-

Andrés Villalba Pérez.
Olla polícroma
antropomorfa.
26 x 22.5 cm.
Colección Native & Nature.

cia el norte y Sonora.🖾 De toda la producción de Paquimé, su expresión artística por excelencia, además de las joyas, es definitivamente la cerámica. Ésta constituye para el arqueólogo fuente infinita de información por su larga perdurabilidad y porque de ella pueden inferirse las técnicas de elaboración y de cocción (barros utilizados, hornos, control de la temperatura), las funciones (ritual, doméstica, decorativa, comercial, funeraria) y las formas de decoración (temática, estilo, pintura, colorantes, grabado), lo que a su vez proporciona información sobre los conocimientos técnicos y científicos, sobre el arte y la ideología de una cultura.🖾 Como sucede con la historia de Paquimé, su alfarería puede ser estudiada con base en tres periodos que marcan el desarrollo de esta singular cultura. En el primero de ellos, denominado Periodo viejo (700 a 1200 d. C.), la cerámica era utilizada en la cocina para el almacenamiento de granos, agua y comida, y como ofrenda en los ritos religiosos y funerarios. En ella se encontraron reflejados prototipos de otras vecinas culturas norteñas: las ollas y los platos se decoraban con diseños simétricos pintados en rojo, o se "texturizaban" con incisiones lineales o puntiformes o mediante pellizcos. Estas texturas se lograban cuando el barro aún estaba húmedo, antes de hornear la vasija. Además de la cerámica doméstica, se encontraron vasijas contemporáneas procedentes de Arizona y Nuevo México, así co-

mo varias piezas sureñas, entre ellas un tambor de mano. En los siguientes 200 años, conocidos como Periodo medio, se verifica el florecimiento y auge de la cultura paquimense. Durante esta época continúan los "texturizados" de antaño, pero desaparece la decoración simétrica de líneas rojas. Una característica nueva presente en la producción de vajillas es la policromía, que incluye diseños en negro y rojo sobre una base blanca o café clara. Es nueva también la cerámica con una capa uniforme de color rojo y otra negra reluciente. Dentro de las cerámicas polícromas destacan la llamada Ramos, que a partir de entonces se produce en diferentes formas: ollas, cajetes, botellas, miniaturas, tambores, efigies humanas, de aves, de serpientes y de otros animales. Su decoración se distingue por los diseños elaborados a partir de la greca escalonada y del motivo de la guacamaya, que frecuentemente son complementados con círculos y cuadrados con un punto en sus centros. Estos últimos se asemejan a los diseños que representan los granos del maíz en estandartes recientes de los indios hopi. La greca escalonada y la guacamaya, que aparecen frecuentemente, suelen acompañar los temas principales, por lo que podemos inferir que ambas debieron tener un importante significado ideológico y no sólo decorativo. La greca escalonada tiene su origen en Mesoamérica, inicialmente en Michoacán; luego se extendió a Zacatecas, de donde seguramente se llevó, hacia los

PÁGINA SIGUIENTE:

Nicolás Ortiz Estrada.
Dos aspectos de la olla
de doble serpiente con
ratón en barro negro.
30.5 x 15.9 x 14 cm.
Colección particular.

años 600-700, al actual poblado de Snaketown, Arizona, para redistribuirse en todo el noroeste. Este diseño subsistió posteriormente entre los teotihuacanos, los mexicas y los mixtecos, y aún se utiliza en objetos destinados a los turistas. En Paquimé, esta greca siguió los prototipos sureños, aunque con mucha frecuencia era desfigurada en todo tipo de adaptaciones, dislocaciones y omisiones. En algunos casos aparece como tema principal, pero, por lo general, acompaña a serpientes emplumadas, guacamayas y pericos —a veces con cola de serpiente—, pájaros con doble penacho y, en pocas ocasiones, seres humanos con atributos de guacamaya. La representación de la guacamaya suele ser realista, pero generalmente se sintetiza en forma extraordinaria. En ocasiones se representan sólo las plumas de la cola, que también pueden adosarse a la cabeza. Existen por lo menos tres figuras de un hombre-guacamaya que, curiosamente, lleva el diseño de un "gato" en el pecho y el abdomen. 🦎 Este nuevo alud de formas y diseños representó un cambio drástico. Si bien la mayoría de los diseños tiene antecedentes norteños (por ejemplo, en la cerámica mimbre) y otros fueron compartidos con pueblos contemporáneos, las formas —y en especial las efigies, que son tan peculiares— no parecen tener similitud con pueblos contemporáneos o antiguos, ni al norte ni al sur, aunque sí existen efigies, pero de tiempos muy antiguos, en el occidente de México. Todo ello sugiere que los paquimenses fueron los creadores de estos nuevos conceptos formales. 🦎 Después de varios años de decadencia, diferenciados bajo el nombre de Periodo tardío, Paquimé concluyó

su historia trágicamente. La bella ciudad declinó paulatinamente; no se volvió a construir y los muros de muchos edificios se vinieron abajo por falta de mantenimiento. La gente se mudó a los escombros de las antiguas construcciones civiles y religiosas, a las que agregaron burdas alteraciones y rampas para alcanzar los resquebrajados pisos superiores. Los muertos se enterraron descuidadamente dentro de los canales que antaño llevaban agua y que así quedaron cegados. 🦎 Hacia 1450, Paquimé y muchos poblados de su señorío fueron destruidos por enemigos desconocidos que con incendios provocaron el colapso final; la zona fue abandonada entonces por los grupos agricultores. Los primeros expedicionistas españoles que llegaron hasta ese sitio a mediados del siglo XVI se encontraron con gente bastante ruda, pero quedaron impactados ante las ruinas de Casas Grandes, de la cual el cronista Baltasar de Obregón escribió: "esta gran ciudad contiene edificios que parecen haber sido construidos por los antiguos romanos [...] Hay muchas casas de gran tamaño, fuerza y altura. Tienen seis o siete pisos, con torres y muros como fortaleza [...] Las casas contienen amplios y magníficos patios cubiertos con grandes y bellas lozas que parecen de jaspe... " 🦎

BEATRIZ BRANIFF. Doctora en antropología por la UNAM. De 1992 a 1995 coordinó el proyecto arqueológico en Paquimé. Entre sus publicaciones más recientes destacan: *Morales, Guanajuato y la tradición Chupícuaro* y *Morales, Guanajuato y la tradición tolteca* (Colección Científica, INAH). Actualmente dirige el Centro de Estudios Antropológicos de Occidente en la Universidad de Colima.

ARRIBA:
Vasija polícroma antropomorfa.
ABAJO:
Vasija polícroma con
representación de hombre
guacamaya.
AMBAS:
Paquimé. Periodo medio
(1200 a 1450). Museo de las
Culturas del Norte. Casas
Grandes, Chihuahua. CNCA-INAH.
Colección Native & Nature.

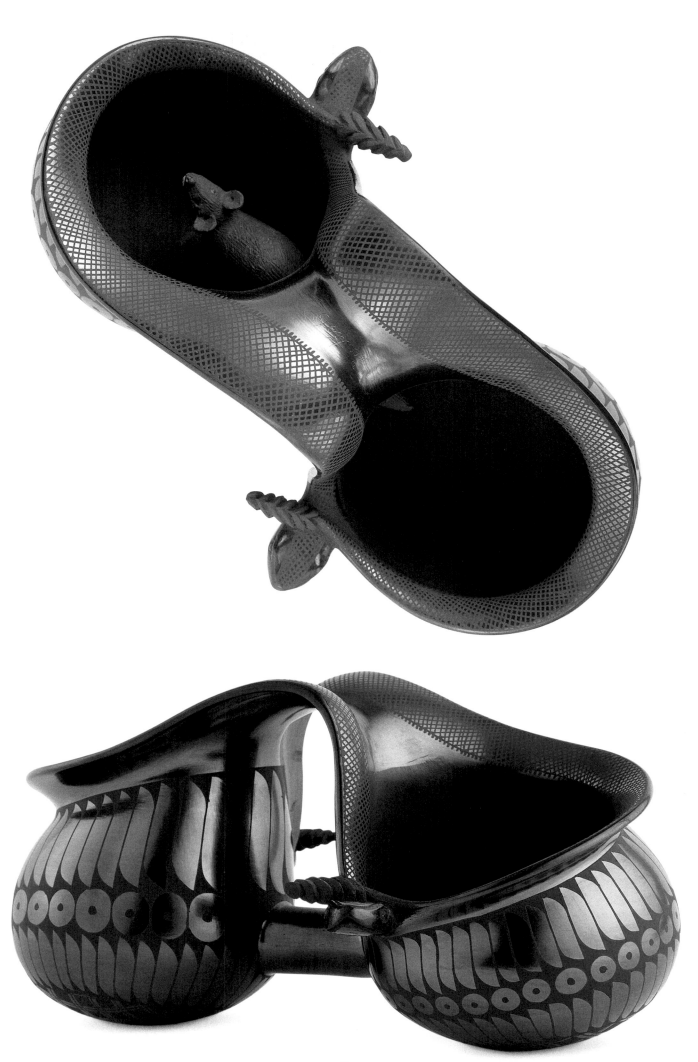

MATA ORTIZ

LABERINTOS EN CONSTRUCCIÓN

UN RENACIMIENTO ALFARERO

WALTER P. PARKS Y SPENCER H. MACCALLUM

**Mata
Ortiz, Chihuahua, tiene una historia convulsa, con episodios de antiguo
esplendor, de asolamiento apache, de combates vi-
llistas y, finalmente, de una revolución de barro. Esta
última —cuyos orígenes y desarrollo nos son relatados por
dos de sus más dedicados estudiosos— constituye un fenómeno que bien puede equipararse al Renacimiento, pues los
ceramistas de Mata Ortiz —como los italianos de los siglos
III al XVI— han tomado lo más sobresaliente de una
cultura clásica —en este caso, la de Casas
Grandes— para crear una nueva y
original tradición.**

PÁGINA ANTERIOR:

Juan Quezada muestra los fragmentos de las "ollas pintas" que fueron el origen de su inspiración.

Guillermina "Guille" Olivas Reyes, esposa de Juan Quezada, participa en el pulido de piezas.

AL NORTE DE CHIHUAHUA, EN UNA REMOTA ALTIPLANICIE, existe un pequeño poblado llamado Juan Mata Ortiz. Ahí, más de 300 artistas alfareros elaboran cerámica de paredes muy finas, diseños intrincados y trazos bellamente delineados. Este singular arte surgió a mediados de los años setenta, producto de la inspiración de un solo hombre, Juan Quezada Celado. Desde entonces, se ha convertido en la principal ocupación de todo el pueblo. Ahora, tras varias exposiciones en museos y galerías de arte en México, Estados Unidos, Europa y Japón, esta cerámica ha comenzado a llamar la atención internacional como una expresión de arte fino.

ORÍGENES

El movimiento es tan reciente que todavía no tiene un nombre aceptado por todos. Algunos lo llaman Casas Grandes, pero esto puede hacer que se confunda con la alfarería realizada por las culturas prehispánicas del mismo nombre que florecieron en el norte de Chihuahua entre los siglos XI y XV. Algunos fragmentos de cerámica de esos pueblos inspiraron originalmente el trabajo de Juan Quezada, sin embargo, llamarlo "nuevo" o "moderno" Casas Grandes sugeriría que tan sólo pretende revivir o copiar al anterior. Basta con observar atentamente las piezas modernas para darse cuenta de que se trata de expresiones artísticas originales. A finales de los setenta, cuando esta alfarería se dio a conocer en el mundo del arte, se sugirió llamarla cerámica de Palanganas, en alusión al río que pasa por el pueblo, pero tal nombre no tuvo aceptación. Actualmente la mayoría de la gente la llama cerámica de Mata Ortiz, por el pueblo donde surgió y donde viven casi todos sus alfareros. Sea cual fuere su denominación, no hay duda sobre el origen de esta nueva tradición alfarera. Hace menos de 30 años, Juan Quezada —leñador, ferrocarrilero y artista autodidacta— vendió sus primeros trabajos de barro a un tendero del pueblo fronterizo de Palomas, Chihuahua. Nadie sabe dónde terminaron esas piezas. Probablemente las enterraron algún tiempo para hacerlas parecer antiguas. Quizá ahora se exhiban en alguna vitrina como obras prehispánicas. Aquella venta alentó a Juan, quien en 1976 empezó a marcar su nombre en el barro húmedo, antes de quemarlo, para que las piezas fueran identificadas como suyas y ya no se vendieran como prehispánicas.

INCURSIÓN EN EL ARTE

Un día de 1976, Spencer Heath MacCallum descubrió, en una tienda de antigüedades de Deming, Nuevo México, el trabajo de Juan. Experimentado antropólogo e historiador de arte, se acercó con curiosidad a tres vasijas que le parecieron especiales, muy distintas a otras que había visto antes. La dueña de la tienda sabía poco de ellas, pero suponía que venían de México. Intrigado, Spencer las compró y regresó a su hogar en California. Puso las vasijas en una repisa, donde las contemplaba constantemente y pensaba que en algún lugar del norte de México había un extraordinario artista y alfarero. Finalmente, decidió ir a su encuentro. Acompañado de su madre y de un amigo, Spencer viajó a Nuevo México, cruzó la frontera y emprendió la búsqueda. El norte de Chihuahua es un territorio vasto, vacío, con pocas poblaciones. Aun así, interrogaba a todas las personas que encontraba y les mostraba fotos de las vasijas. Al fin llegaron a Nuevo Casas Grandes, y desde ahí marcharon por caminos de

Nicolás Ortiz Estrada es reconocido por sus piezas zoomorfas.

Noé Quezada Olivas aprendió el oficio viendo trabajar a Juan, su padre.

terracería, hasta Mata Ortiz, donde Juan vivía en una casa de adobe. El artesano se asombró al ver a tres estadounidenses a su puerta. Quedó aún más sorprendido al saber que tenían fotografías de su trabajo en barro. Cordialmente los invitó a pasar y, una vez que tomaron asiento, les mostró varias vasijas que guardaba en lo alto de una repisa. Cada una medía de 12 a 15 centímetros de altura y era perfectamente simétrica. Sus paredes eran finas y se sentían ligeras sobre la mano. Múltiples trazos delgados y negros delineaban formas geométricas interconectadas, cubiertas con color rojo y negro. Spencer examinó cada vasija cuidadosamente. No le quedó duda de que había encontrado al creador de las tres piezas adquiridas en Deming. 🖾 Juan comentó a Spencer que podría hacer mejores piezas, pero que eso tomaba tiempo y nadie hasta ahora estaba dispuesto a pagar un precio más elevado. Spencer intuyó la importancia de alentar a aquel artista desconocido, por lo que ofreció pagarle por algunos de sus mejores ejemplares y prometió regresar en dos meses. Juan dudaba que lo hiciera, pero Spencer no sólo regresó, sino que comenzó una relación de trabajo con Juan y otros alfareros del pueblo que duraría casi ocho años. 🖾 Los historiadores de arte con frecuencia buscan en movimientos artísticos de importancia los momentos clave que elevaron el arte a nuevas cumbres estéticas o que lo expusieron a niveles distintos de apreciación popular. Definitivamente, el primero de esos momentos para los alfareros de Mata Ortiz fue el descubrimiento del trabajo de Juan que hiciera Spencer. Éste sabía apreciar el arte mexicano antiguo y moderno. En su adolescencia vivió y estudió en México, incluso tu-

vo la oportunidad de trabajar informalmente como arqueólogo en los magníficos sitios de Teotihuacán y Monte Albán. Diez años más tarde, obtuvo un título en historia del arte en la Universidad de Princeton y, posteriormente, un posgrado en antropología social en la Universidad de Washington. Él tenía los contactos adecuados para dar a conocer esa cerámica a un público conocedor. Así comprometió su tiempo, energía y dinero para difundir los primeros frutos de este nuevo fenómeno artístico. 🖾 Cuando Spencer llegó por primera vez a Mata Ortiz, eran ocho los aldeanos que, además de Juan, dedicaban la mitad de su tiempo a hacer cerámica. Spencer estimuló a Juan y ambos motivaron a su vez a los otros artesanos a realizar mejor su trabajo. Convencidos de que la cerámica podría ayudarlos a superarse, otros más decidieron aprender. Después de 22 años, más de 300 alfareros sostienen a sus familias con la producción de la exclusiva cerámica de Mata Ortiz. Al menos una docena de ellos ha adquirido prestigio mundial.

MATA ORTIZ: EL PUEBLO

Mata Ortiz no es un lugar donde se pudiera esperar el florecimiento de un movimiento artístico. El pueblo yace sobre un altiplano, al sur del valle de Casas Grandes, entre la Sierra Madre Occidental al oeste y una pequeña cordillera al este, coronada por una cumbre llamada El Indio. Al pie de esa cordillera, el río Palanganas, tributario del río Casas Grandes, serpentea hacia el norte, seguido de cerca por las vías del tren Chihuahua-Pacífico. Entre el río y las vías, las casas de adobe de una sola planta se extienden más de una milla a lo largo de tres calles. Nuevo Casas Grandes, el único pue-

ARRIBA:

Vista de una calle en Mata Ortiz, Chihuahua.

PÁGINA SIGUIENTE:

El río Palanganas.

César Domínguez
Alvarado y Gabriela
Almeida Gallegos.
Plato polícromo
con mariposa y colibrí.
36 ø cm.
Colección Native & Nature.

ARRIBA:
Antigua estación del tren.

blo relativamente grande en el área, está al norte, a 40 kilómetros de camino de terracería. Desde ahí se hacen tres horas en coche para llegar a Ciudad Juárez, en el noreste, u ocho horas hasta la ciudad de Chihuahua, en el sudeste. Para los parámetros mexicanos, Mata Ortiz es un pueblo joven, fundado a principios del siglo XX como un pueblo ferroviario y maderero. El área, sin embargo, es rica en historia. Bajo su suelo se encuentran las ruinas de culturas antiguas que florecieron gracias a las fértiles tierras que bordean el río, como la de Casas Grandes y la de los mimbres; además, a unos kilómetros al norte están las ruinas de la gran ciudad de Casas Grandes: Paquimé. También hay restos de asentamientos y misiones, cuyos olvidados ocupantes fueron asesinados o diseminados por las feroces tribus nómadas que dominaban el área casi hasta el siglo XX. En el siglo XVIII, los apaches dominaban el norte de Chihuahua. Los españoles trataron de pacificar esa tierra indómita al mandar, en primera instancia, a monjes franciscanos y jesuitas a establecer misiones, seguidos de colonos y mineros. Pero los indios resistían y continuaban su asedio. Después de la independencia, al gobierno mexicano no le fue mucho mejor. En 1824, cuando el territorio de Chihuahua se convirtió en un estado de la Federación, había tan sólo unos cuantos asentamientos en el norte. Los apaches aún deambulaban libremente por las montañas y planicies. Más tarde, en la confusión de la guerra, la política y la reforma social durante la presidencia de Benito Juárez, una nueva fuerza estableció gradualmente su control, esta vez encabezada por un solo hombre, Luis Terrazas, quien en unos años se convertiría en

"el señor Chihuahua". Partidario de Juárez, idealista y oportunista, Terrazas se aprovechó del peligro que representaban los apaches para adquirir a bajo precio vastas extensiones de tierra que habían sido abandonadas por sus dueños. Para 1876, al comenzar la presidencia de Porfirio Díaz, Terrazas poseía gran parte de la tierra al norte y al este de la ciudad de Chihuahua. Entre las muchas haciendas que fundó, una de las más grandes era San Diego, situada en las fértiles laderas de un río, unos cuantos kilómetros al norte de lo que ahora es Mata Ortiz. En 1880, ya como gobernador, Terrazas inició una seria campaña contra los apaches. Su comandante militar era un primo suyo y viejo camarada de armas, Joaquín Terrazas. El segundo en mando era un duro combatiente indio de Galeana llamado Juan Mata Ortiz. Al frente de 350 soldados, persiguieron sin tregua al jefe apache, Victorio. Luego de varias escaramuzas por el escarpado territorio, finalmente lo aniquilaron junto con sus guerreros en un lugar llamado Tres Castillos. Todo Chihuahua aclamó la victoria con gritos de "¡Viva Terrazas!" y "¡Viva Mata Ortiz!" Aunque al año siguiente algunos sobrevivientes del bando de Victorio mataron a Mata Ortiz, la amenaza apache había terminado. El norte de Chihuahua se abría a Luis Terrazas, a las inversiones extranjeras y al porfiriato. Siguió un periodo de construcción de líneas férreas. Terrazas recibió la concesión para construir la primera línea entre Ciudad Juárez y la ciudad de Chihuahua, con lo que se abrió una importante ruta comercial. El canadiense Frederick Stark Pearson construyó una segunda línea que partía de Ciudad Juárez, cruzaba por Nuevo Casas Grandes y se internaba hacia el sur,

ARRIBA:
**Vista general de Mata
Ortiz, Chihuahua.**

ABAJO:
**Roberto Bañuelos
Guerrero y Ángela López
Ávalos.
Olla con serpientes y
conejos.
19 x 28.5 cm.
Colección Native & Nature.**

Petroglifos de la Sierra Madre Occidental, fuente de inspiración para los alfareros de Mata Ortiz.

para explotar los bosques de la Sierra Madre Occidental. En un campamento ferrocarrilero, a unos cuantos kilómetros de la hacienda de San Diego, punto de fácil acceso a las montañas, Pearson construyó un gran aserradero que los periódicos de la época describieron como el más grande al sur de Canadá. El asentamiento maderero y el taller de reparaciones ferroviarias tomaron el nombre de Pearson; los viejos de la región aún lo llaman así. Sin embargo, con la Revolución el nombre estaba destinado a cambiar, para honrar la memoria del combatiente de los apaches: Juan Mata Ortiz. El aserradero estuvo en operación poco tiempo, pues más violencia brotó en el horizonte del norte de Chihuahua. Francisco Villa salió de las montañas para unirse a la lucha que Francisco I. Madero iniciara contra Porfirio Díaz. El estado se convirtió una vez más en campo de batalla. Casas Grandes y Mata Ortiz sufrieron invasiones y saqueos hasta que, finalmente, el aserradero cerró para no volverse a abrir. Durante un cese temporal al fuego, un tío abuelo de Juan Quezada se escondió con su familia y sus posesiones en los altos pastizales cercanos a Mata Ortiz, hasta que los combatientes se desplazaron más allá de su casa, en Santa Bárbara Tutuaca, y tomaron rumbo al sur. Siempre recordaría aquellos pastizales y, en 1941, él y su esposa, acompañados de los padres de Juan, José y Paulita Quezada, se mudaron a Mata Ortiz. Juan tenía entonces un año. Casi todas las familias de Mata Ortiz eran originarias de otros lugares de México. Muchos llegaron a trabajar al aserradero o en el taller ferroviario, y después criaron ganado o establecieron granjas a las orillas del río. Algunos trabajaban en los huer-

tos de manzanas, plantados desde 1880 por los colonos mormones venidos de Utah. El vínculo principal con el resto del mundo siguió siendo el tren. En 1963 cerró el taller que empleaba a tanta gente en Mata Ortiz. El trabajo se volvió escaso. Tiendas, cafés y cantinas cerraron. El pueblo se volvió somnoliento y decayó con la emigración de muchos jóvenes. La decisión tomada por Juan en 1975 de dejar su trabajo ferroviario para concentrarse en la fabricación de cerámica, abrió un nuevo camino para unas cuantas familias primero, después para docenas y, finalmente, para centenares cuyo futuro en ese entonces era incierto y sombrío.

LOS ARTISTAS

Dominar las técnicas de la alfarería tomó tiempo, dedicación y esfuerzo. En un principio, sólo la familia Quezada trabajó en ello, después enseñaron —o inspiraron— a otros como Roberto Bañuelos y Taurina Baca, ambos ahora muy reconocidos. Félix Ortiz, del barrio El Porvenir, al extremo sur del pueblo, también se interesó en el oficio. No se sabe cuánto aprendió de Juan, pero hacia finales de los años setenta, ya hacía cerámica con variaciones importantes. Decoraba sus piezas con un estilo propio: diseños amplios, sin estructura, muy distintos a la simetría de Juan. Bajo la influencia de Félix y, en menor medida, de Juan, individuos y familias de El Porvenir —los Silveira, Sandoval, Ortiz, Mora y González— comenzaron a hacer cerámica, aunque en grandes cantidades y con menor cuidado. De hecho, durante los primeros años, la alfarería de Mata Ortiz podía clasificarse en dos grandes categorías: las piezas finas, hechas en la parte central del pueblo, y las de menor calidad, provenientes de El Porvenir.

PÁGINA SIGUIENTE:
Manuel Rodríguez Guillén.
Olla de barro con decoración polícroma y carnero.
23 x 17 cm.
Colección Native & Nature.

Sin embargo, la de-
manda de calidad se hizo sentir gradualmente en en este último, donde ahora se crean excelentes piezas, en especial las que realizan los hermanos Nicolás,
Macario y Eduardo Ortiz. Su trabajo y el de otros artistas de su barrio,
como Andrés Villalba y Pilo Mora, están considerados entre lo mejor que se
produce en Mata Ortiz. Cuando Spencer dejó de trabajar con los alfareros, en
1983, un número creciente de comerciantes y turistas encontró la forma de llegar al
pueblo. Esto llevó a más pobladores a dejar su trabajo en el campo y los huertos para dedi-
carse a la alfarería. Durante los últimos años de la década de los ochenta y principios de los noventa, otras familias se sumaron a la lista de ceramistas: López, Rodríguez, Ledezma, Domínguez,
Ponce, Mora y Cota. Se formaron subagrupaciones en torno a los familiares y vecinos más diestros.
El mejor trabajo ya no venía únicamente de la familia Quezada. El escenario estaba dispuesto, por
tanto, para un florecimiento sin precedentes de la cerámica de Mata Ortiz, que ni sus más ardientes ad-
miradores habían sospechado. Las nuevas generaciones, al llegar a la edad adulta, se dedican natural-
mente a la alfarería. Crecen viendo y ayudando a sus familiares, pero su principal inspiración suele ser
el éxito artístico y económico de Juan, que sigue siendo quien marca la pauta. Él continúa sus experi-
mentos con nuevos diseños, formas, barros y tintes. Explora constantemente las montañas en busca de
las sustancias que hacen de su pintura negra "el más negro de los negros" y de la roja "el más rojo
de los rojos". Muchos jóvenes copian la forma de sus vasijas y el diseño de sus ornamentos, pero
conforme perfeccionan su destreza, los verdaderos artistas crean su propio estilo. Algunas veces
rompen por completo con los viejos diseños de Casas Grandes e incluso con el estilo de Juan.

UN MOVIMIENTO ARTÍSTICO CONTEMPORÁNEO

La alfarería de Mata Ortiz ha tenido siempre una función artística, pues ninguna vasija está destinada a usos prácticos. Aún más, nació de las innovaciones de una sola persona en un pueblo remoto. Estos factores hacen que este arte sea difícil de definir, ya que no responde a ninguna categoría habitual. Casi
todo el arte cerámico en México se ha desarrollado a partir
de algún tipo de artesanía tradicional cuyas piezas, hechas para uso práctico, co-

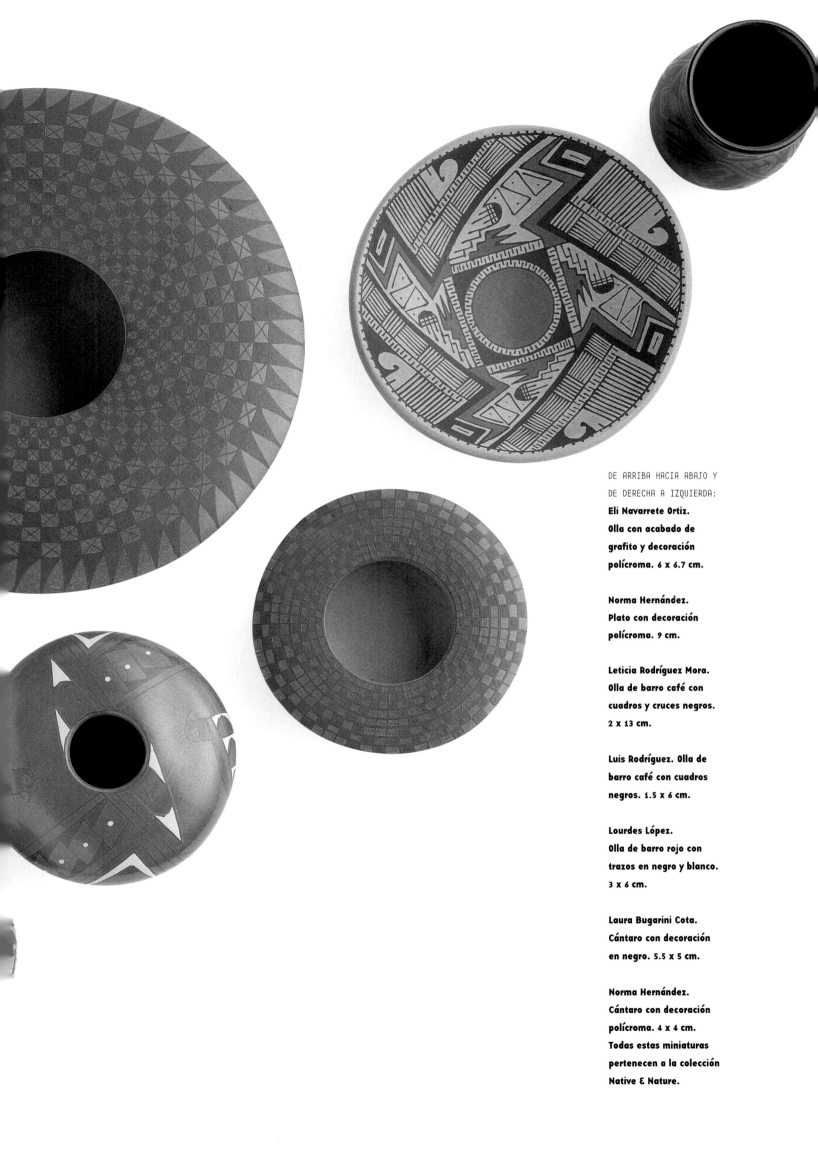

DE ARRIBA HACIA ABAJO Y
DE DERECHA A IZQUIERDA:
**Eli Navarrete Ortiz.
Olla con acabado de
grafito y decoración
polícroma. 6 x 6.7 cm.**

**Norma Hernández.
Plato con decoración
polícroma. 9 cm.**

**Leticia Rodríguez Mora.
Olla de barro café con
cuadros y cruces negros.
2 x 13 cm.**

**Luis Rodríguez. Olla de
barro café con cuadros
negros. 1.5 x 6 cm.**

**Lourdes López.
Olla de barro rojo con
trazos en negro y blanco.
3 x 6 cm.**

**Laura Bugarini Cota.
Cántaro con decoración
en negro. 5.5 x 5 cm.**

**Norma Hernández.
Cántaro con decoración
polícroma. 4 x 4 cm.
Todas estas miniaturas
pertenecen a la colección
Native & Nature.**

menzaron a ser apreciadas por el
valor estético de sus decorados. Así se originó la
alfarería de los alrededores de Guadalajara, Oaxaca y Pátzcuaro. En el área de Mata Ortiz, sin embargo, no se había hecho cerámica en cinco siglos y las familias de los actuales alfareros habían emigrado
recientemente de otros lugares en México. Por no adecuarse a las categorías
tradicionales y por sus orígenes rústicos, se tiende a identificar las obras de Mata Ortiz con la artesanía de distintos sitios de México o con la de los indios pueblo, en Estados
Unidos. Pero las coincidencias no van más allá de algunas similitudes básicas en la técnica
y en la inspiración a partir de los fragmentos de Casas Grandes. El fenómeno Mata Ortiz quizá
se defina mejor como un sofisticado movimiento artístico contemporáneo, que tiene sus raíces en
una cultura prehispánica. Esta definición lo acerca a otras formas artísticas, como el arte del Renacimiento —inspirado por descubrimientos arqueológicos del mundo clásico antiguo—, y las del arte
moderno abstracto, que se alimentó fuertemente del arte tribal africano. Nadie sabe hacia dónde
se dirige este fenómeno artístico. Históricamente, tales movimientos tienen un curso, pasan por un
periodo clásico y luego se hacen repetitivos, hasta estancarse, que es cuando los historiadores del arte, al mirar hacia atrás, lamentan el declive de aquellos días gloriosos. El periodo clásico de la alfarería de Mata Ortiz tiene lugar ahora. Los alfareros producen trabajo innovador cada día. No estamos viendo reliquias del pasado. Tenemos el placer de presenciar el pleno florecimiento de un
importante movimiento artístico,cuya culminación aún está por delante. Lo mejor está por
venir. *Traducción de Edgar Arredondo.* Spencer Heath MacCallum. Maestro en antropología social por
la Universidad de Washington, realizó estudios avanzados en las universidades de Nuevo México y Chicago. Es
autor de los catálogos *The Art of Community*: *Northwest Coast Indian Art* (Princeton Art Museum) y
Juan Quezada and the New Tradition. Actualmente dirige la Heather Foundation, en Tonopah,
Nevada. Walter P. Parks. Realizó estudios de historia y la maestría en administración en la Universidad de Stanford. Es autor de los libros *The Miracle of Mata
Ortiz* (1993) y *The Famous Flier's Wall at the Mission Inn* (1986) y
coautor de *Historic Mission Inn* (1998).

Leonel López Sáenz.
Olla con lagartos
esgrafiados.
19 x 22.9 cm.
Colección particular.

DE IZQUIERDA A DERECHA:
Martín Cota.
Pez. 21 x 31 cm.
Colección Native & Nature.

Damián Escárcega
Quezada y Elvira Antillón.
Olla de barro blanco con
decoración polícroma
seccionada en quintas.
27.5 x 30 cm.
Colección Native & Nature.

Laura Bugarini Cota.
Olla con diseño
abstracto. 24.1 x 20.3 cm.
Colección particular.

Damián Escárcega
Quezada y Elvira Antillón.
Olla de barro blanco con
decoración seccionada en
octavos. 35.6 x 28 cm.
Colección particular.

Héctor Gallegos Esparza
y Graciela Martínez Flores.
Tazón con boca cerrada.
9.5 x 15.2 cm.
Colección particular.

BILL GILBERT

LABERINTO TRANSFORMADO

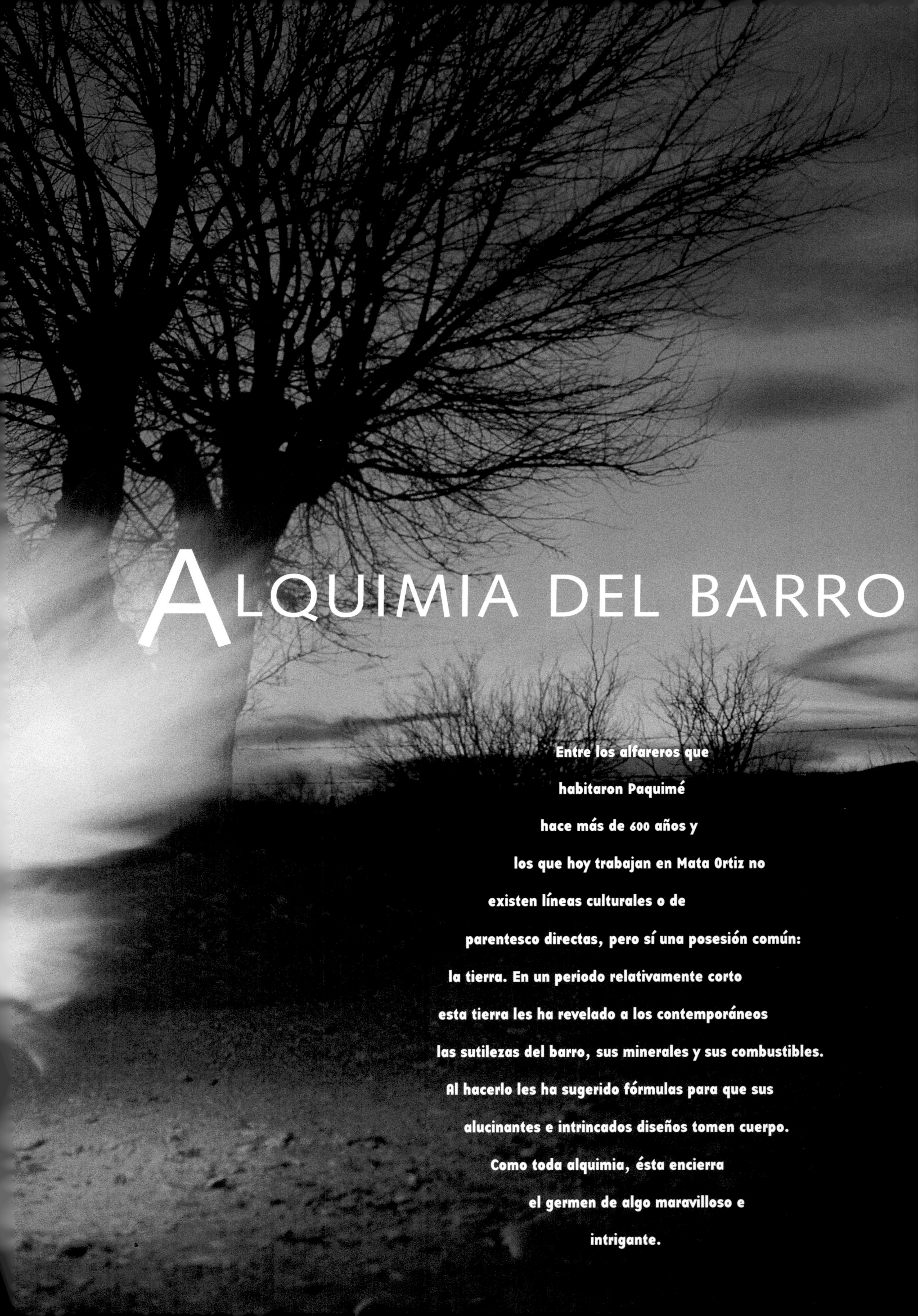

ALQUIMIA DEL BARRO

Entre los alfareros que

habitaron Paquimé

hace más de 600 años y

los que hoy trabajan en Mata Ortiz no

existen líneas culturales o de

parentesco directas, pero sí una posesión común:

la tierra. En un periodo relativamente corto

esta tierra les ha revelado a los contemporáneos

las sutilezas del barro, sus minerales y sus combustibles.

Al hacerlo les ha sugerido fórmulas para que sus

alucinantes e intrincados diseños tomen cuerpo.

Como toda alquimia, ésta encierra

el germen de algo maravilloso e

intrigante.

TODA DISCUSIÓN SOBRE LA CERÁMICA DE MATA ORTIZ DEBE centrarse en el trabajo de Juan Quezada, quien tras suponer que los fragmentos de ollas que recogía en los alrededores debieron hacerse con materiales de la región, comenzó una experimentación creativa que derivó en un complejo proceso para crear vasijas polícromas. Con el propósito de hacer cerámica de alta calidad, Juan usó inicialmente los barros más puros que pudo encontrar en el lecho del río Palanganas. Pero éstos tenían demasiada plasticidad y las vasijas se cuarteaban al secarse. La clave para resolver el problema estaba en los fragmentos antiguos. Juan los estudió con atención y advirtió que el material del que estaban hechos tenía arena. En un principio, atribuyó el hecho a un descuido, aunque se extrañó de encontrar la arenilla incluso en los restos de las ollas más finas. Añadió entonces arena al barro y descubrió que las piezas ya no se quebraban. Con el tiempo, Juan enfrentó nuevos desafíos técnicos. Los barros del río con frecuencia estaban contaminados con depósitos de cal. Los cambios en la humedad hacen que la cal se expanda, lo que produce pequeñas grietas, burbujas y ampollas en la superficie de las vasijas. Las de Juan presentaban ese inconveniente, aun después de ser quemadas. En busca de un material libre de cal, experimentó con numerosas fuentes de barro del lecho fluvial y de las laderas. Finalmente, usó una mezcla de arena molida de una piedra de color similar al barro. Esta arena fina daba fuerza a la masa de barro y controlaba el encogimiento, aunque también impedía bruñir la vasija hasta lograr una superficie lisa. La cerámica de Mata Ortiz se produce en barros de diversos colores. Los más co-

munes son el blanco, el rojo, el anaranjado, el amarillo, el mezclado y el negro. Los alfareros consideran que el mayor reto lo constituye el trabajo en barro blanco, del que se usan al menos dos tipos. Uno es muy puro, pero poco plástico; proviene de los depósitos de las colinas al este del pueblo. Con él se hacen las piezas más blancas; es difícil de manipular, pero los alfareros más hábiles lo usan sin necesidad de alterarlo. El segundo tipo de barro es una mezcla del primero con un barro, generalmente color beige, de la región de Anchondo. La combinación produce un material más plástico que al quemarse toma una coloración crema. Las ollas de Juan son un ejemplo del barro blanco puro. Héctor Gallegos y Graciela Martínez usan una mezcla relativamente impura que produce un color crema muy bello. César Domínguez y Gabriela Almeida hacen piezas de color crudo o beige con un mayor contenido del barro de Anchondo. El barro amarillo, el más común en el área, es también el más fácil de usar por su plasticidad y resistencia. En el barrio El Porvenir se usa en piezas de gran tamaño con un terminado negro distintivo. El barro rojo es demasiado plástico en su forma pura como para moldearlo fácilmente; las piezas tienden a encogerse excesivamente y a quebrarse. Por su parte, Olga Quezada y Humberto Ledezma han perfeccionado el manejo de este difícil barro y hacen finísimas ollas de intenso color rojo y paredes tan delgadas como el papel. Aunque existe barro natural anaranjado, el color más puro se obtiene al combinar los barros rojo y blanco. Esta mezcla comparte, aunque en menor grado, los problemas del barro rojo. El trabajo más fino que se produce con él son las grandes vasijas re-

dondas de Roberto Bañuelos y María de los Ángeles López. ✦ El barro mezclado se elabora al moler parcialmente dos o más tipos de barro. Pequeñas bolas de cada uno se trituran juntas para formar una pasta. Al lijar la pieza, las estrías de los distintos barros salen a relucir, y forman un veteado. El crédito de esta innovación es de Reynaldo, hermano de Juan, quien un día, al no tener suficiente barro para hacer una vasija, mezcló los distintos sobrantes. El descubrimiento ocurrió al lijar la pieza, luego de secarla y de remover la piel exterior del barro. Pilo Mora ha continuado admirablemente esta técnica. ✦ Para obtener un terminado negro se siguen tres distintos procesos. Cada uno es el resultado de un método específico de quemado del que se hablará más adelante. Esto no significa que hemos agotado el tema de los colores de Mata Ortiz. Nicolás Quezada fue el primero en crear un barro rosado. Gallegos y Martínez experimentan con uno salmón, al igual que Gerardo Cota. José Quezada es conocido por sus vasijas en barro gris y Juan sigue siendo el puntero en el desarrollo de cuerpos de barro amarillo puro, púrpura y negro carbón.

M O L D E A D O
Para moldear una vasija, los alfareros comienzan por amasar una tortilla de barro que comprimen con los dedos en una matriz de yeso con forma de plato y de baja profundidad. Tras cortar los excedentes de los bordes, hacen una tira gruesa de barro y unen sus extremos para formar un anillo de la misma circunferencia que la del molde. Colocan este gran "chorizo" anular sobre los bordes del molde y lo unen a la tortilla en todo su derredor; con los dedos lo presionan hacia arriba para formar las paredes. Luego refinan su forma y emparejan la

superficie. Las paredes se adelgazan uniformemente al raspar la cara exterior con los dientes de un trozo de sierra, mientras se presiona con los dedos desde la cara interior. Para hacer una olla más grande, se puede añadir un segundo anillo de barro; la boca se forma con uno más pequeño. Una vez perfeccionada la forma con el pedazo de sierra, el último paso consiste en suavizar la superficie con el filo liso de esa misma cuchilla.

L I J A D O
Inicialmente, Juan pintaba sus piezas cuando aún estaban húmedas, pero este proceso lo frustraba al no dejarle tiempo suficiente para pintar el diseño que había imaginado antes de que la vasija se secara. A principios de los ochenta comenzó a experimentar con barro que, de forma natural, contenía pequeños fragmentos de piedra. El procedimiento sufrió así un cambio importante; poco a poco, el artista desarrolló el método de lijar, pulir y pintar en barro seco, lo que le permitió acumular piezas terminadas y luego concentrarse en pintarlas, sin prisa alguna. Ahora comienza por lijar la pieza seca —primero con un papel lija del número 100 y luego con otro del 200—, la cubre con mucho aceite y después ligeramente con agua. Luego pule la superficie con una piedra suave o con un hueso de venado. La lisura absoluta permite mayor precisión en la pintura. Una vez pintada la vasija, le aplica un poco de aceite y la pule para darle un fino terminado. Pintar directamente sobre el barro, en vez de hacerlo sobre una delgada capa de engobe, produce colores más vivos.

P I G M E N T O S
Juan considera que el perfeccionamiento de sus tintes ha sido el desafío más grande de su técnica alfarera. Sus pinturas es-

tán hechas con minerales y barros de los montes cercanos a Mata Ortiz. Su paleta, como la usada hace siglos en Casas Grandes, contiene primordialmente rojos y negros. Para dar con ellos experimentó con diversos materiales: "Los viejos de aquí decían que los antiguos pintaban con sangre de mula. Es por eso que, en mi ignorancia, también empecé a agregar sangre animal, e incluso humana, a mi pintura". ▨ Hoy, todos los alfareros de Mata Ortiz preparan la pintura negra con manganeso proveniente de una misma mina. Para refinar el tinte, mezclan este metal con grandes cantidades de agua, lo revuelven repetidas veces, dejan que se asiente y entonces toman sólo las partículas más finas que quedan en la capa superior. El manganeso de este asiento contiene suficiente barro como para hacer que la pintura se adhiera a la vasija sin necesidad de añadir ningún pegamento. Juan le agrega un poco de cobre molido para asegurar que la pintura no se queme durante el horneado, ni se torne café. "Nunca me he conformado con usar manganeso puro, porque a medida que la temperatura aumenta comienza a perder su negrura. He estado buscando piedras que sean negras. Después de experimentar por un tiempo, finalmente encontré un tipo de piedra que permanecía negra. Ese día ni siquiera quise regresar a casa. Esto era lo que estaba buscando. Molí la piedra, añadí su polvo al manganeso y salió un negro de a deveras. El brillo del negro no se quemó." ▨ Aunque todos los alfareros obtienen el manganeso de la misma fuente, hay un amplio rango de calidad de la pintura negra. Los artistas más calificados logran una muy oscura, que adquiere brillo cuando se pule y con la que se consigue una superficie muy suave. A principios de los

años noventa, Gerardo Cota obtuvo un color negro increíble, que pulía con un trozo de pantimedias. El que quizá sea el negro más refinado del pueblo lo produce actualmente Héctor Gallegos. ▨ Con una mezcla de barro rojo y óxido de hierro, Juan Quezada y Héctor Gallegos preparan un rojo sorprendente. La variedad de pintura roja en el pueblo es amplia, pues cada artista usa su propia y muy personal mezcla de materiales. Los rojos más puros —aquellos que están exentos de tonos café tierra— son los más apreciados. ▨ En los últimos años, una innovadora gama de pigmentos ha enriquecido la cerámica de Mata Ortiz. Los alfareros más viejos no están interesados en estos nuevos colores —azul, verde, amarillo, púrpura— porque se alejan de la herencia de Casas Grandes y porque no se hacen enteramente con minerales de la localidad. La nueva generación, en cambio, los usa con entusiasmo, como un medio para crear un estilo más contemporáneo. Manuel Rodríguez fue uno de los primeros en ampliar su paleta, al combinar engobes de diversos tonos. César Ortiz y Eli Navarrete han creado un estilo distintivo basado en diseños multicolores aplicados sobre una superficie de grafito negra.

PINTAR

La perfección técnica de sus trazos y la complejidad de sus diseños coloca a los alfareros de Mata Ortiz entre los pintores de cerámica más destacados del mundo. Crean sus finas e intrincadas líneas con un pincel de cinco o siete centímetros de largo, hecho con unos diez o veinte cabellos de niño. Antes de decidirse por este inhabitual material, Juan y su hermano Nicolás hicieron pruebas con plumas y todo tipo de cabello animal. ▨ Para comenzar a pintar los diseños a mano libre, el ar-

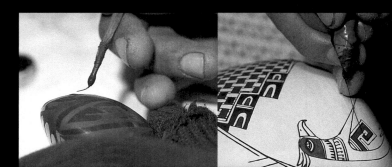

tista divide la superficie de su diseño en dos, tres, cuatro y hasta cinco partes iguales, con ayuda de unas pequeñas marcas en la boca y la base de la vasija. Luego llena los espacios con un pincel más corto y grueso; finalmente, para afinar los bordes del diseño, repasa el delineado. ⚡ En las piezas de Casas Grandes y en muchas de los indios pueblo, el área de diseño de la olla está contenida entre dos bandas horizontales que separan el cuerpo de la base y de la boca. Una de las innovaciones más radicales de Juan fue eliminar esas líneas y pintar el cuerpo entero, con lo que sus diseños adoptaron las formas curvilíneas que distinguen su estilo. Muchos de quienes siguen su ejemplo recrean lo que Juan llama "un sentido de movimiento", fácilmente distinguible de los diseños estáticos del antiguo estilo Casas Grandes. Los sobrinos de Juan, Mauro Corona y José Quezada, han desarrollado estilos propios a partir de esta innovación. ⚡ Algunos de los artistas más jóvenes han ido más allá, eliminando la simetría repetitiva de Casas Grandes. Manuel Rodríguez, por ejemplo, pinta libremente formas que evocan a M. C. Escher y al *op art*. Leonel López ha perfeccionado la técnica del esgrafiado, al tallar en sus ollas escenas de la naturaleza. ⚡ La habilidad para pintar es, sin duda, la más preciada en Mata Ortiz. Normalmente las piezas hechas en conjunto por un alfarero y un pintor son firmadas por este último. Es común que los pintores compren vasijas sin quemar para decorarlas con sus propios diseños.

QUEMADO

Otro logro importante de Juan es el quemado a una temperatura estable y en un medio que conserve los tonos del barro y de la pintura. Su primera prueba fue con madera y carbón.

Con un amigo traía carbón del cerro para calentar el contenedor donde colocaba las ollas. Un día éste se calentó tanto que se incendió: "¡Quemaba hasta nuestra ropa! ¡Soltaba chispas por todos lados! Cuando no nos gustaba el resultado, decíamos que no íbamos a sacar ni para los pantalones". ⚡ Después trató de quemar al nivel del suelo; rodeaba la olla con una jaula de alambre para evitar su contacto con la madera. Pero la jaula desprendía gases metálicos que manchaban las vasijas. Finalmente, después de mucha experimentación y de muchas ollas arruinadas, Juan desarrolló un mejor método: coloca en el piso las vasijas de una en una o en pequeños grupos. Para protegerlas de calentamientos repentinos y disparejos que dañan los colores, las cubre con una olla de barro invertida que hace las veces de caja refractaria. Como en otros pasos del proceso, cada alfarero ha introducido sus propias modificaciones a ese método. ⚡ Históricamente, el estiércol ha sido el combustible más usado en Mata Ortiz. Sin embargo, el creciente número de alfareros y la reducción del ganado, debido a una sequía reciente, han dado como resultado una seria escasez de ese recurso. En los últimos años, muchos optaron por el uso de la corteza de álamo, que comienza a escasear también, por considerar que se quema más "limpiamente" que el estiércol de vaca y, por tanto, es mejor para cocer las vasijas blancas. Otros han experimentado con leña de pino y de álamo, pero los resultados han sido muy diversos. ⚡ Lo anterior ha obligado a considerar el uso de hornos eléctricos. Aunque son bastante comunes entre los ceramistas del sudoeste norteamericano, los comerciantes y autores estadounidenses rechazan su uso por considerar que atenta contra la tradición.

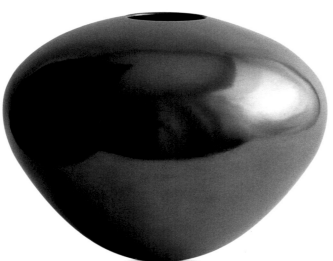

Héctor Ortega.
Olla acanalada de barro
rojo bruñido. 26 x 25 cm.
Colección Native & Nature.

A C A B A D O   N E G R O

Para obtener loza con acabado negro, se colocan una o más vasijas en una cama de estiércol finamente desbaratado y se cubren con una cubeta de metal que se presiona contra el piso para sellar el interior. Luego se cubre por completo el exterior de la cubeta con más estiércol o con corteza. Finalmente, se rocía la base de esta pila con queroseno y se enciende. El fuego arde intensamente durante unos 30 minutos. El estiércol dentro de la cubeta arde de tal modo que crea una cámara de humo. El carbón contenido en el humo penetra los poros abiertos del barro rojo caliente. Al enfriarse, éstos se cierran, aprisionando el carbón sobre la superficie del barro; el resultado es un acabado negro. En 1995, un coleccionista pidió a Juan que hiciera una réplica de la vasija negra con trazos grises que había creado 15 años antes para Spencer MacCallum. Juan aceptó, pero quiso experimentar con un proceso distinto. Moldeó la nueva pieza con barro rojo y la pulió con un trapo, en vez de hacerlo con una piedra. Trazó con pintura blanca los diseños y realizó el quemado dentro de una cubeta de metal sellada. Así obtuvo una bella vasija negra, satinada, pintada con trazos grises. Sus hijos Noé y Mireya han seguido sus pasos con ollas grandes de ese estilo. Quizá la innovación más importante que se ha hecho fuera de la familia Quezada es el terminado en negro sobre negro creado por Macario Ortiz. Un día él quemó una olla en cuya base había estado practicando su firma con un lápiz. Lo escrito se había convertido en un negro brillante, por lo que decidió cubrir una pieza por completo con grafito, antes de quemarla. Esta sustancia produce un brillo metálico que contrasta más vivamente con los diseños pintados que con las vasijas que solamente están pulidas. La innovación de Macario —adoptada en todo El Porvenir y otras partes de Mata Ortiz— crea un efecto dramático y se vende bien. Aunque la cerámica negra bruñida era común en el antiguo Casas Grandes, no se ha hallado ninguna pintada. Lydia, la hermana menor de Juan, fue la primera en Mata Ortiz en pintar vasijas negras. No obstante los retos y las transformaciones, el trabajo que se hace en Mata Ortiz sigue siendo impresionante. El ejemplo de experimentación e innovación de Juan se diseminó por todo el pueblo. Otros artistas se esfuerzan por lograr que su firma también avale un preciado valor estético. En términos puramente técnicos, las vasijas de Mata Ortiz igualan a cualquier otra cerámica hecha a mano en el mundo. En términos estéticos, su mérito es considerable, pues mientras algunos artistas intentan que esta tradición constituya un movimiento artístico contemporáneo, otros tratan de afianzarse a las raíces del antiguo estilo de Casas Grandes. Los cambios ocurren rápidamente, lo que hace difícil predecir qué dirección tomará este trabajo en el futuro. Sin embargo, una cosa puede tomarse como cierta: cualquiera que sea tal dirección, será importante no perderla de vista. *Traducción de Edgar Arredondo.*

WILLIAM T. GILBERT. Maestro en bellas artes por la Universidad de Montana. Desde 1987 es profesor asociado en la Universidad de Nuevo México. Fue curador de las exposiciones "The Potters of Mata Ortiz" (Museo de Arte de la Universidad de Nuevo México, 1995) y "Juan Quezada" (Museo de Arte de la Universidad de Dallas, 1998). Sobre este mismo tema, ha publicado varios artículos en revistas como *The Studio Potter* y *Ceramics Monthly*.

La
cerámica de Mata Ortiz tiene un
protagonista indiscutible: Juan Quezada. Muchos
se han preguntado sobre sus cualidades tan especiales,
pues no sólo reinventó por sí mismo el arte milenario de la
alfarería, sino además lo enriquece diariamente con nuevos ha-
llazgos que no duda en compartir con sus paisanos. La respuesta
más acertada es, sin duda, la que él mismo ofrece a Marta Turok
en esta entrevista: él tiene alma de alfarero. Esa alma le en-
seña a escuchar cómo cada olla le "habla" diferente y le
permite reencontrarse con los alfareros de Paquimé que, como él, un día se enamora-
ron del barro.

UN ALMA DE ALFARERO

JUAN Q

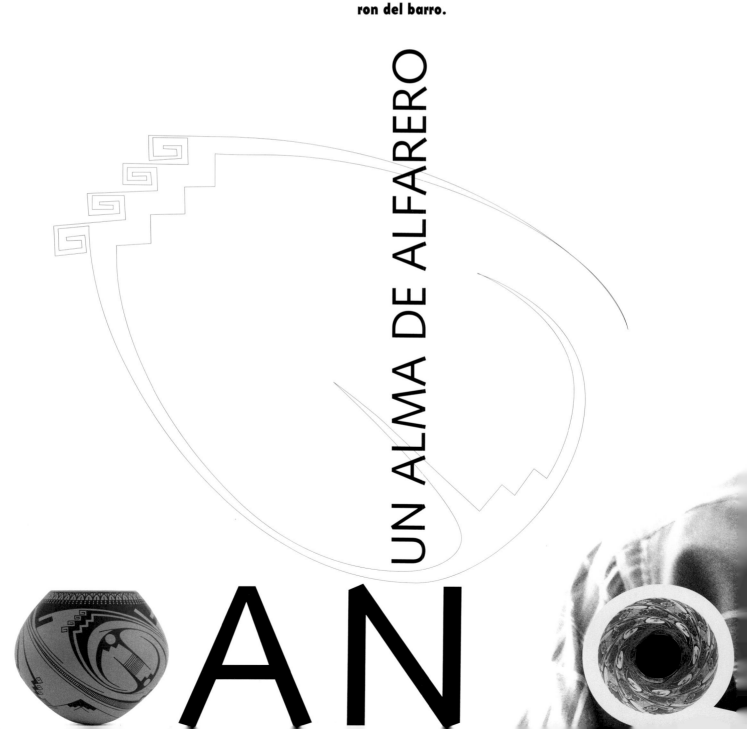

MARTA TUROK

LABERINTO CREADOR

UEZADA

LA VOZ DE JUAN QUEZADA CELADO, ARTÍFICE DEL LLAMADO

"milagro de Mata Ortiz", tiene un inconfundible tono norteño y tal fuerza que parece salir de lo profundo del alma. De complexión delgada y pobladas cejas negras, posee una mata de pelo ya entrecana que le da un aire de distinción. Viste al estilo vaquero: botas puntiagudas, pantalón de mezclilla, camisa a cuadros y un sombrero tejano. Su casa es de adobe, tan sencilla como él y como Guillermina Olivas, su esposa y compañera de toda la vida, con quien ha procreado ocho hijos.

En la estancia de la entrada hay dos vitrinas, una que abarca todo un muro y otra más pequeña. La primera está ocupada por piezas de barro de Juan y de Noé, Junior, Nena o Mireya, los hijos que también han escogido el oficio de alfarero. La mayoría de los trabajos son pedidos en espera de entrega, los menos están destinados a la venta. La vitrina chica guarda diversos objetos que han sido obsequiados a Juan, incluyendo algunas vasijas de sus alumnos estadounidenses. En un muro cuelga enmarcada la xilografía con diseños geométricos que hizo durante uno de sus viajes a California, donde dio talleres veraniegos de cerámica, de 1982 a 1990, en la Escuela de Música y Artes Idyllwild (ISOMATA). De abril de 1998 a febrero de 1999 realicé varios viajes a Mata Ortiz para cuidar los detalles de la organización de la primera exposición en México dedicada a los maestros alfareros de ese poblado chihuahuense —patrocinada por el Museo Franz Mayer— y para preparar el presente número de *Artes de México*. Juan tenía que ser el primero con quien yo hablara; su anuencia era fundamental para el proyecto, pues de ello dependía que los demás alfareros aceptaran la invitación. Su interés fue evidente, pues por diversas razones, no se había logrado hasta ahora una exposición en México. Le preocupó el tipo de embalaje, el seguro de traslado, la seriedad de los organizadores y la relevancia del sitio donde ésta tendría lugar. Le animó que los coleccionistas y comercializadores de Estados Unidos, con quienes ha tratado por años, también mostraran entusiasmo por el proyecto. Cuando en octubre nos sentamos a platicar, había más confianza y soltura. A continuación presento algunos aspectos sobresalientes de nuestra charla. **¿Aún viaja cada año a Estados Unidos a dar clases?** Ya no me da tiempo. Para mí es muy importante ir a cualquier parte, sea algo bien arreglado o no, sea pequeño o grande. Pero tengo muchos pedidos. Algunas son personas desesperadas y otras muy calmadas. A veces vienen y depositan unos centavos para asegurar sus ollas. Pero cuando les digo "espérate y espérate" se cansan. También para uno es un martirio. Uno trabaja y trabaja para medio cumplir. Por eso, lo que más importa es que vayan otras personas de Mata Ortiz. Eso es bueno para todo el pueblo. Lo mismo ocurre si van para Estados Unidos a un evento de alfarería. **Sin embargo, ahora organizan cursos aquí mismo, en Mata Ortiz, ¿no es así?** Este verano ya tenemos cuatro cursos, ¿verdad, Guille? (Ella rectifica que son cinco). Los organizamos en ranchos privados que me prestan. Comenzamos como gente desconocida y a media semana ya somos una familia. A mí me gustan mucho, porque ves ideas diferentes de gente que no conoces. **Usted siempre ha pensado en el pueblo: descubrió todo esto y siempre anima a los demás.** Para mí es muy satisfactorio que una familia pueda vivir de la alfarería un año, dos, tres, por lo que yo hice. Entre más dure, más satisfacción me da. Cuando un alumno mío hace mejores ollas que yo, me da más gusto que envidia. Somos humanos y hay cositas. Pero que uno diga "¡ay que envidia!" no. Aquí agarramos barro de donde quiera porque somos ejidatarios, aunque a veces me ofrecen barro en algunos ranchos privados. Pero aquí en el ejido se agarra todo parejo. Arriba estaban pensando en unirse para cobrar. Les dije, si esto es lo más bonito que tenemos en este pueblo, que no andamos con esas cosas. ¿Qué tanto es lo que le van a sacar? Es más el movimiento que van a hacer para poner unos guardias allí. Es agradable andar con una persona que tenga nuestra misma profesión, que le guste. No es igual que con un trabajador cuando es pagado. El dueño puede trabajar de sol a sol y no se cansa porque tiene otra fe, pero el trabajador no tiene mucho empeño, sólo está para sacar lo de su día. **Bueno Juan, para unos es un trabajo y para otros, los menos, es un medio de expresión.** Yo veo que todo mundo quiere entrarle a esto, pero no todos tienen alma de alfarero. Hay personas que sí, que le buscan, que se interesan, pero son muy pocas. ¿Cuándo van a perder un día para ir por allí a buscar barros?, ¿a ver? Para muchos es sólo un trabajo. Algunos estamos pensando en el arte y otros en los dólares. Como dijera Noé cuando le pregunté "¿qué piensas cuando estás haciendo una olla?" "Pues, en los dólares", me contestó. Mucha gente está pensando en mejorar, pero para ganar más. No es sólo con la intención de agradar.

Cuando enseño una pieza, o la ven, veo la reacción; a veces es fingida, a veces es real. Yo estoy fijándome en todo. Una vez fuimos a Pennsylvania. La esposa del director dijo que había logrado que me dieran un tanto más. Le agradecí, pero ella pensó que iba a saltar de gusto. Le dije que lo haría cuando viera que la gente mira la exposición a gusto, no cuando compra. **¿De dónde cree que nació esa alma de artista?** Eso es natural. Yo creo que desde que tuve uso de razón, desde que tenía seis o siete años me gustó crear con las manos. En aquella época no se conocían las pinturas, no se conocían las herramientas para esculpir. Yo hacía escultura y pintura, me gustaba hacer muebles también; me gustaba todo lo que pudiera hacer con las manos. Desde hace años, desde que estaba chavalo, quería ver la reacciones de los demás ante algo que les enseñaba. Hice una pintura y se la enseñé a mis hermanos. Yo estaba contento, a mí me había gustado. A los pocos días me dijeron que una señora había venido y la había comprado. Pero no era cierto, me habían engañado, y me sentí mal. Luego, a los 13 años, trabajé con madera, la más dura y difícil. Lo hacía junto a la ventana, desde donde oía a mi papá echarle un grito a mi mamá, "¿dónde está Juan?" "Pues ha de estar por ahí haciendo sus figuritas", le respondía ella. Era algo que no lograban entender. El día que no me tocaba ir por la leña, porque nos turnábamos entre los hermanos, me metía a una bodeguita que había en la casa, y hacía dibujos en sus muros encalados. Mi satisfacción era pintarlos hasta acabar y retirarme para verlos. Cuando los veía bien, los borraba y pintaba otro. Entonces no tenía pensado que a esto me iba a dedicar. No pensaba en las ollas, ni siquiera las conocía. Había una creencia de que durante la Semana Santa los tesoros se abrían. Y yo, que estaba chavalo, oía que los sacaban de las "ollas pintas", pero algunas tenían esqueletos en vez de tesoros, así que no todos se animaban. Yo vivía de buscar la leña, había que vivir de algo. Me iba con las bestias por la sierra y las cuevas y las cargaba. Como las pobres tenían que comer algo y descansar, las dejaba una hora o dos y me metía a las cuevas. Allí encontraba ollas bien bonitas. Unas completas y otras pegadas. Traje unas para acá y alguien me dijo "¡unas ollas pintas!" Como los dibujos me fascinaron, pensé: "tengo que hacer algo como esto". No tenía la intención de vivir de ello, nada más quería hacer una. Fue muy duro porque nunca había visto a un alfarero. Empecé experimentando con el barro, la pintura, la quemada, los pinceles. Tan sólo con los pinceles experimenté con plumas de todas las aves, pelos de todos los animales. Era una guerra que yo traía. Aprendí a dominar el barro, la pulida, la arreglada y todo eso. Y cuando empecé a lograr mis primeras piezas, las enseñaba pero como si nada. La gente de aquí ya sabía que yo andaba en eso, pero no decían más. **¿Qué le motivó a firmar sus piezas?** En primer lugar no quería tener problemas con la ley. En alguna ocasión me buscaron porque pensaron que yo estaba haciendo copias de piezas antiguas. Me fascinaba la idea de que antes la gente pudiera lograr tanta belleza con lo que estaba a su alrededor. Cuando se empezaron a lograr las ollitas, me fijaba en la forma, en la boca, en cómo iba a poner el trazo. Cada olla me habla diferente. Entonces pensé: "que cada quien firme", que se vea de quién es este trabajo. **La forma de decorar se ha ido transformando con el tiempo, ¿cuál es la más difícil?** Antes decoraba toditita la olla. Luego pensé que sólo necesitaba trabajar la mitad. Al principio las líneas eran rectas, seguían mucho la forma de Paquimé. Pero poco a poco me fui soltando, y empecé a lograr menos dibujo con más movimiento. En estos últimos años he logrado poner una menor cantidad de líneas y sentir la satisfacción de que la olla está terminada. Creo que es más difícil pintar así, por eso me pongo a estudiar la olla mucho antes de empezar el trazo. **¿Qué debería ser lo más importante para los jóvenes que ahora se inician en el barro?** Que no se conformen, que le busquen, que se enamoren del barro y salgan a buscar las vetas. Acabo de encontrar una de barro morado, busco de todos los colores: blanca, rosa, naranja. También que experimenten, que hagan pruebas para que puedan lograr más que nosotros, los de la primera generación. La calidad es por lo que se está dando a conocer el pueblo más allá, eso no debe perderse. Cada quien puede mirarse hacia adentro y encontrar su estilo. No tenemos por qué copiar, todos somos libres aquí. Sé que ahora algunos están poniendo grafito, o metiendo colores de fábrica. No puedo hablar por todos, pero creo que gran parte de la magia ha sido el reencuentro con los antepasados, con respeto, pero viendo para adelante. Eso sería. MARTA TUROK. Antropóloga por la Universidad de Tufs, con estudios en Harvard y en la UNAM. Preside la Asociación Mexicana de Arte y Cultura Popular (AMACUP) desde 1989. Es la curadora de la exposición sobre la alfarería de Mata Ortiz presentada en museos de México y de Estados Unidos durante 1999.

Juan Quezada Celado.
Olla de barro negro con
decoración gris.
20.3 x 20.3 cm.
Colección particular.

Juan Quezada Celado.
Olla de barro morado con
decoración negra.
20.3 x 20.3 cm.
Colección particular.

DI⬤LE

En

una lengua, sus

hablantes comparten

las palabras, pero la manera

de conjugarlas o de hacerlas sonar de-

pende de cada quien. Lo mismo sucede con el

barro de Mata Ortiz. Los más de 300 alfareros que tra-

bajan ahí —y en el vecino Nuevo Casas Grandes, a donde mu-

chos han emigrado— toman el barro y los minerales de las mismas

fuentes, pero lo trabajan en "dialectos" muy personales que el autor ha

propuesto dividir en tres estilos generales: el Quezada, el Porvenir y el inno-

vador. Uno le apuesta a la simetría y la sinuosidad; otro a la geometría pa-

quimense y la "negrura"; y el tercero a la inspiración en la naturaleza y

las tradiciones indias. Aquí también se arguyen las múltiples razo-

nes que buscan desentrañar el "milagro de Mata Ortiz" que

logró transformar un pueblo ferrocarrilero, ganade-

ro y agricultor en una colonia de autén-

ticos artistas.

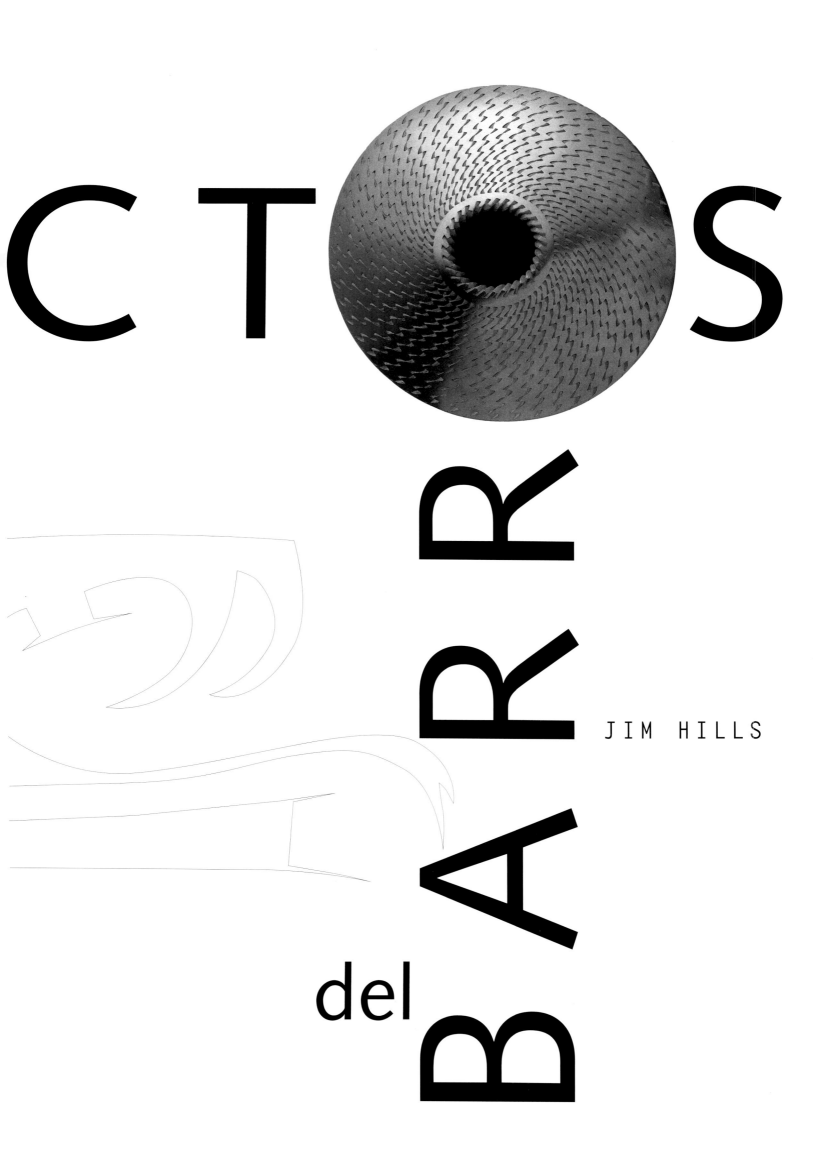

C T O S

R R

JIM HILLS

del

A

B

Juan Quezada C.
Olla de barro rojo quemada
por reducción y decorada en
blanco. 20.3 x 20.3 cm.
Colección particular.

PÁGINA 52:
José Quezada T.
Olla de barro blanco con
decoración polícroma
seccionada en mitades.
41.9 x 20.3 cm. Colección
particular.

PÁGINA 53:
Reynaldo Quezada C.
Platillo volador con acabado
de grafito y hendiduras a
manera de tejido. 35 cm.
Colección Native & Nature.

LA MAGIA QUE SE PERCIBE EN LA CERÁMICA DE MATA ORTIZ

refleja la fuerza de la expresión creativa de cada artista, la lucha
que sostiene cada uno de ellos por superar los caprichos del clima, la
calidad del barro, las fracturas accidentales o los fuegos inadecuados. Todo
ello puede impedir, en un abrir y cerrar de ojos, que una visión imaginaria tome
cuerpo en la realidad. Pese a estos riesgos y decepciones, algunos alfareros dicen
sentir que el piso se mueve bajo sus pies cuando sus obras comienzan a desplegar sus
formas; que cuando hacen surcar las líneas de pintura negra en las superficies blancas, rojas
o amarillas de barro se olvidan del tiempo y "van más allá", transgreden, incluso niegan las
fronteras del material. Su lucha con el barro es, sin duda, una batalla surgida de la pasión más que
del deseo de combatir. Las obras creadas con tal pasión han despertado un entusiasmo que se ha hecho extenso a otras partes del mundo, de Tokio a Nueva York, de la ciudad de México a Seattle. El crecimiento
exponencial de esta forma de arte —desde los primeros esfuerzos de Juan Quezada hasta la atrevida sofistica-
ción y la constante innovación de hoy— es llamada por algunos "el milagro de Mata Ortiz". Noticias de este
milagro han atraído hasta el pequeño poblado a numerosos visitantes curiosos de todo el mundo. Sus habitantes
siempre saludan con una sonrisa y con un interminable torrente de "pásele, siéntese" a quienes llegan. A pesar del ba-
rullo propio de la popularidad, Juan Quezada y sus discípulos han logrado mantener su centro de gravedad en Mata Ortiz.

UNA COLONIA DE ARTISTAS

¿Cómo fue que en tan poco tiempo una cultura de trabajadores ferroviarios, campesinos, ganaderos, leñadores y madres de
familia se convirtió en una colonia de auténticos artistas? Se han argumentado varias razones: la necesidad —que plantea
un fuerte incentivo económico—; la determinación de Juan Quezada y su encuentro con Spencer MacCallum; los bajos pre-
cios —que atrajeron a compradores estadounidenses, decepcionados por el constante encarecimiento de las vasijas de barro
hechas por los pueblos indios al norte de la frontera— y, finalmente, la ausencia de barreras psicológicas que los inhibieran
de pensar en ser alfareros e incluso más que eso: artistas. En los años setenta, los pobladores de Mata Ortiz no se con-
sideraban a sí mismos artistas y, por tanto, no tenían que probar nada a los observadores venidos de fuera, como recuer-
da MacCallum. No tenían una reputación que sustentar, pero sí curiosidad y paciencia ilimitadas, tiempo y disposición
para trabajar arduamente. Sus primeras ventas los motivaron a continuar el lento proceso de dominar la elaboración y el decorado de las vasijas, es decir, su transformación en artistas. Una circunstancia similar vivieron
los indios seris de Bahía Kino, en las costas sonorenses del Golfo de California. A principios de los setenta,
su industria del tallado en palofierro —que se iniciara igualmente con el trabajo de un solo hombre,
Jorge Astorga, en la década anterior— llamó la atención de muchos compradores. Para los seris, la creación tiene poco que ver con la noción occidental de arte y más bien se acerca a la idea de completar una tarea. Es un asunto cotidiano en el que todos
pueden participar. En su lengua el equivalente más cercano para la
palabra "arte" es "terminar". Los niños de Mata
Ortiz ven, día tras día, cómo sus pa-

dres y

tíos esculpen, pulen, pintan y queman el

barro; cómo hablan de él entre ellos y con comerciantes,

coleccionistas y amigos. Algunos de estos niños incluso han provisto

a sus padres con un poco de su propio cabello para la confección de pinceles.

Así, estos pequeños han llegado a entender la alfarería como algo que la gente simple-

mente hace; como algo que enaltece a toda la familia. No sorprende, por lo tanto, que la lla-

ma de creatividad encendida por las primeras vasijas de Juan se haya extendido a una segunda gene-

ración de alfareros que llegaba a la mayoría de edad a mediados de los años ochenta y principios de los

noventa. La misma flama creativa envuelve ahora a una tercera generación, sin que su final esté a la vista.

L A   C R E A T I V I D A D   S E   E X P A N D E

Hacia 1970, Juan ya había perfeccionado la manufactura de engobes de óxido y durante la década siguiente man-

tuvo en secreto sus fórmulas, mientras que otros alfareros aún no comprendían las sutilezas de la fabricación de

pinturas naturales. Aunque es bien conocida su disposición de compartir sus conocimientos, también lo es su insis-

tencia en que cada alfarero se tomara muy en serio el oficio y mantuviera excelentes parámetros de calidad. De no ser así,

Juan simplemente no les proporcionaba la pintura y, en aquellos primeros años, esto equivalía a no tener ventas, pues las

vasijas que no estaban decoradas eran sumamente difíciles de vender. Esto causó algunas fricciones entre Juan y otros al-

fareros, pero también dio como resultado que éstos hicieran un esfuerzo mayor. A partir de 1973 o 1974, las espirales de

humo también comenzaron a salir del barrio El Porvenir, al sur de Mata Ortiz y del otro lado del arroyo donde Quezada y

sus discípulos trabajaban. Félix Ortiz Rodríguez, su hermano Emeterio y algunos amigos también experimentaban con el ba-

rro. Félix no era amigo cercano de Juan, por lo que obtuvo información a través de preguntas directas, pero, sobre todo, de

rumores y exitosas observaciones a hurtadillas. Salvador Ortiz, cuñado de Félix, también pudo haber tenido un papel im-

portante en el flujo de información hacia El Porvenir, ya que Juan lo invitó a ser el padrino de su hijo Arturo, relación

que bien pudo prestarse a un mayor intercambio de conocimiento. Con todo, los alfareros de El Porvenir lograron

abrir nuevos horizontes. Félix desarrolló el método de espirales continuas para formar una vasija, el cual tenía

más semejanzas con el de los indios pueblo que con el de Juan, que consistía en una sola espiral o "chorizo".

No obstante, estos artesanos prestaban poca atención a factura y no eran tan serios en su trabajo como

el grupo de Juan, constituido hacia 1976 por sus hermanos Nicolás, Reynaldo, Reynalda, Consolación y

Lydia, y por su vecina Taurina Baca, quienes establecerían los estándares de calidad a seguir.

En la actualidad, el movimiento artístico alfarero que a mediados de los años setenta inicia-

ra un solo hombre está integrado por cerca de 340 ceramistas, de los cuales la mayoría

vive y trabaja todavía en Juan Mata Ortiz. Sin embargo, a lo largo de los últi-

mos años, docenas de artesanos han decidido mudarse a una comuni-

dad vecina más grande, llamada Nuevo Casas Grandes, la cual

se encuentra en las cercanías de la zona arqueo-

lógica de Paquimé.

Juan Quezada Celado.
Olla de barro blanco con
decoración polícroma
seccionada en tercios.
38.7 x 25 cm.
Colección particular.

PÁGINA 55:
Juan Quezada Celado.
Olla negra y
decoración roja.
20.3 x 17.8 cm.
Colección particular.

MAESTROS DE UN OFICIO

Los 27 alfareros de quienes se habla en los párrafos
siguientes constituyen una muestra representativa
de los cientos que hoy moldean y pintan el barro en
Mata Ortiz y en Nuevo Casas Grandes. Su trabajo
muestra la gran calidad de la producción, la expresión artística de esta región e ilustra el modo con que
cada alfarero ha contribuido al desarrollo mismo de este
movimiento ceramista. Si bien es cierto que existen otros
trabajos que pueden fácilmente igualar a los seleccionados, se con-
sideró que éstos son quienes mejor ejemplifican las tendencias actuales en términos de estilo, calidad y uso de técnicas innovadoras. Para una
mejor comprensión de quiénes son estos alfareros, cuáles son sus estilos y
las técnicas distintivas de su cerámica, sus trabajos se dividieron en tres categorías: el estilo Quezada, el estilo Porvenir y el estilo innovador. Cada motivo estilístico,
cada método de producción, constituye un dialecto, una variante del lenguaje del barro.

EL ESTILO QUEZADA

Se caracteriza por su simetría, su refinamiento y su excelente técnica. Con frecuencia las piezas
de cerámica blanca son decoradas con diseños polícromos según la técnica de "imágenes especulares", distintiva de la alfarería del antiguo Casas Grandes, conocida como policromía Ramos. En la cerámica contemporánea, sin embargo, hay un intento más notorio por integrar los espacios vacíos o negativos —aquellos libres de imágenes— al diseño total. En este estilo también son muy recurrentes los largos
arcos, las bandas sinuosas y, últimamente, las figuras en forma de hoz que circundan oblicuamente, de la boca
a la base, la superficie de la vasija. Esta conjunción de líneas curvas da la impresión de movimiento. De hecho,
si uno ve la vasija desde arriba, este tipo de diseño se asemeja, con frecuencia, a un equilibrado remolino que gira en
torno al eje central de la boca de la vasija. Cuando estos diseños se dibujan en dos dimensiones sobre el papel, parecen
galaxias que se expanden en espiral hacia el espacio vacío. **Juan Quezada Celado** es, ante todo, un maestro. Al estudiar las biografías de sus discípulos resulta evidente la influencia que ha ejercido en el pueblo y sus alrededores. Tras resolver muchos de los complejos problemas técnicos que enfrentó durante los años setenta, Juan comenzó a concentrarse
en el diseño y fue el primero en romper con la tradición de bandas horizontales, tan común en piezas prehispánicas de Paquimé. Al realizar este cambio —abandonando también los motivos bidimensionales, las líneas y ángulos rectos— sus ollas
comenzaron a adquirir características tridimensionales y movimiento conforme sus pinceladas largas y curvilíneas subían y ba-
jaban alrededor de su superficie. Ésta es una característica primordial de lo que llamamos el estilo Quezada, que evolucionó
aún más cuando Juan creó amplios espacios vacíos —o espacios negativos— entre las bandas curvilíneas. **Lydia Quezada
Celado** es la hermana menor de Juan; siempre le ha apasionado trabajar el barro. Juan le enseñó a hacer vasijas a finales
de los setenta, cuando vivía con sus padres en Mata Ortiz. De todos los alfareros activos, ella es la más hábil para pintar
amplias y largas bandas, rodeadas de espacios negativos. Trabaja con barro de todos colores, desde el blanco brillante
hasta el negro pulido. Siempre ha estado a la cabeza de la experimentación. Originalmente fue quien perfeccionó la alfarería del negro sobre negro, que tanto se usa ahora, después de conocer a María Martínez, de San Ildefonso, Nuevo
México, durante una exposición en el Museo Maxwell de Albuquerque, en 1979. Ella no usa grafito, sino el modo tradicional —y más difícil— de reducción de oxígeno. Sus innovaciones más recientes consisten en combinar diseños
negros con acentos en negro brillante sobre un fondo negro mate y en darle una forma distinta a la boca de sus
ollas para que parezcan hélices, lo que le da una mayor sensación de movimiento a sus vasijas. El trabajo de
Lydia es de lo mejor y, por tanto, difícil de obtener. **Nicolás Quezada Celado** fue el primer discípulo de
Juan; ha hecho vasijas desde hace 25 años. Es uno de los héroes desconocidos del renacimiento de su
pueblo natal. Aunque siempre ha trabajado a la sombra de su hermano mayor, ha sido una figura clave
para resolver los interminables problemas técnicos que surgieron durante los primeros años.
Es analítico, experimentador, inquisitivo e innovador. Nicolás pinta largas líneas curvas que
desliza elegantemente sobre el barro blanco o rosado, que recientemente descubrió.
Él se refiere a estas líneas como "calles" o caminos que uno debe seguir para
crear una obra de arte. Vida y movimiento, dos términos que, además de
expresar claramente su personalidad, son la mejor forma de describir su trabajo. **Noé Quezada Olivas** es el hijo mayor
de Juan y, como tal, parece ser el heredero de su
padre. De todos los jóvenes Quezada,
Noé es el mejor alfarero y

Lydia Quezada Celado.
Olla de barro rosa con boca en gajos
y decoración polícroma.
28 x 23 cm. Colección Native & Nature.

PÁGINA 59:
Lydia Quezada Celado.
Olla que combina fondo negro por
reducción, ligeramente bruñido, con
diseños en negro mate y acentos en
negro pulido. 30.5 x 22.5 cm.
Colección Native & Nature.

pintor de ollas. Su
estilo decorativo ya es único entre
los alfareros de Mata Ortiz. Al igual que
su padre, utiliza amplios y largos arcos y franjas,
pero entre éstos pinta pequeños cuadros y puntos que le
dan a sus diseños la apariencia de una pantalla de computado-
ra. A Noé también le gusta representar peces, ranas y búhos, con lo
que plasma su estilo distintivo en toda la pieza. Su trabajo comienza a pare-
cerse al de su padre, pues recientemente ambos se han inclinado por seguir una
tendencia minimalista; sus diseños son cada vez más sintéticos. Su esposa, Betty
Quintana, es una excelente alfarera por virtud propia. Noé vive con ella y con sus hijos
en el barrio El Centro, cerca del río Palanganas. **Mauro "Chico" Corona Quezada** es el hijo más
joven de Consolación Quezada, la hermana mayor de Juan. Muy niño aprendió el oficio al lado
de su madre. Actualmente, a sus casi 30 años, Chico establece los parámetros de innovación en el diseño, al llevar a la mínima expresión el uso de pinceladas y espacios negativos. Sus grandes ollas blancas,
ovaladas, de decoración minimalista e intensa geometría lineal con remates en forma de hoz son impre-
sionantes. Junto con Noé Quezada es probablemente de los mejores alfareros de la segunda generación.
Mauro da forma, lija, pule, pinta y quema sus propias piezas. Su especialidad son las vasijas blancas de gran
formato, con detallados diseños polícromos en rojo y negro intensos. Sus diseños, llenos de movimiento, deno-
tan la influencia de su famoso tío. Está casado con Martha Martínez, también excelente alfarera. Viven en el Barrio El Centro, junto a Consolación Quezada, en una elegante casa de tres habitaciones. **Damián Escárcega Quezada y Elvira Antillón** viven en Nuevo Casas Grandes y han trabajado juntos por casi cinco años. Elvira da forma a
las vasijas con barro rosa y blanco, mientras que Damián las decora con complejas imágenes polícromas. Una de las
características particulares de Damián es el modo cómo distribuye sus diseños. Divide la superficie en cinco, seis y
hasta ocho partes, con elementos que se repiten de forma idéntica. La mayoría de los alfareros que sigue el estilo Quezada prefiere dividir los diseños en sólo tres o cuatro segmentos. Debido a las muchas secciones que lo integran, el trabajo de Damián resulta muy complejo y difícil de comprender en un solo vistazo. Artista nato, Damián aprendió a
pintar con Nicolás Quezada en menos de un año. Tiene el potencial para convertirse, como su tío Juan, en un maestro alfarero. **Héctor Gallegos Flores y Graciela Martínez Esparza.** La familia Gallegos, como la Quezada, es excep-
cionalmente talentosa. Sus cualidades salieron a relucir apenas en 1987, cuando Graciela Martínez, la esposa de
Héctor, comenzó a experimentar con sencillas figuritas de barro. Más tarde, Armando Rodríguez, que vivía a
unas cuantas cuadras al norte de su casa, en el barrio Americano, le enseñó cómo hacer vasijas. Luego ella enseñó a su marido a pintar al estilo de la cultura mimbre. Ambos trabajan ahora como un equipo bien coordinado en las piezas más complicadas, como los grandes jarrones de boda, las jarras de cuellos largos
y escalonados o las ollas con mariposas o lagartijas en relieve. Graciela da forma a casi todas las
vasijas y Héctor las pinta. Como se acostumbra en Mata Ortiz, la persona que pinta la vasija
es quien la firma. Ni Héctor ni Graciela se apresuran en su trabajo, por eso cada pieza es motivo de fascinación e inspiración. **César Domínguez Alvarado y Gabriela Almeida Gallegos** viven en Nuevo Casas Grandes y trabajan la cerámica en equipo. Gaby
moldea y pule las vasijas; César las lija, pinta y quema. Los dos aprendieron
el oficio de Jaime Domínguez, hermano de César, en los años ochenta, cuando aún vivían en su lugar de origen, el barrio Americano de Mata Ortiz. Se les conoce, sobre todo, por
sus grandes platos polícromos (negro y
rojo sobre barro blanco),

con diseños inspirados en motivos prehispánicos mimbres, rodeados de líneas complejas, puntos y grecas, comunes tanto en la tradición mimbre
como en la de Paquimé. **Humberto Pon-
ce Ávalos y Blanca Noelia Almeida Gallegos** viven
y trabajan conjuntamente en Nuevo Casas Grandes.
Ella forma, pule y lija las vasijas y él pinta el delicado e in-
trincado diseño de "cuadritos" polícromos. Humberto disfruta
trabajando con elementos del diseño prehispánico de Paquimé, particularmente con la víbora. De hecho, es famoso por la manera en que sus motivos cuadriculados incorporan, de la boca a la base de la vasija, una serpiente
enroscada. En 1987, ambos aprendieron alfarería con la hermana de Blanca, Gabriela
Almeida, y con su esposo, César Domínguez, cuando todos vivían aún en Mata Ortiz. En 1991
ambas familias se mudaron a Nuevo Casas Grandes para que César y Humberto, que son maestros
de escuela, pudieran prosperar en esa profesión y, a la vez, dar mejores oportunidades de educación
a sus hijos. **Porfirio "Pilo" Mora Villalba** es uno de los pioneros más influyentes de Mata Ortiz. Antes de mudarse a Nuevo Casas Grandes aprendió la alfarería de Emeterio "Telo" Ortiz, en el barrio El Porvenir. Comenzó
a hacer vasijas en 1974 y, al igual que a su hermano, Manuel Mora, le gusta experimentar. Pronto descubrió cómo
hacer pinturas de óxidos minerales, que aún hoy pocos saben hacer bien. Pilo cuenta que en los años setenta, él y Juan
Quezada solían hablar de sus respectivos descubrimientos y se ayudaban mutuamente a mejorar la calidad de sus pigmentos. Sus intrincados diseños sobre barro mezclado (marmolado) son un ejemplo del trazo más fino que se hace actualmente en Mata Ortiz. "Mucha gente ve en mis vasijas —dice Pilo— sólo un montón de líneas, pero de lo que no se dan cuenta es de que este diseño laberíntico representa mi vida." Tímidamente admite que la idea de este diseño la obtuvo de un sueño.
Como está perdiendo la vista de un ojo, tiene ahora varios aprendices que le ayudan a pintar. Dos de sus mejores alumnos,
Javier Pérez y Salvador Almazán, han resultado ganadores de concursos de alfarería en la localidad. Pilo es conocido
por su barro mixto (casi el noventa por ciento de sus piezas son marmoladas) y por su increíble delineado, que fascina
y sorprende a sus compradores. Es uno de los pocos alfareros del estilo Quezada que todavía utiliza grasa de zapatos
para intensificar el brillo de sus ollas. Por cierto, Pilo es un buen ejemplo del alfarero que frecuentemente va
y viene entre el estilo Quezada y el estilo Porvenir. **Elías Javier Pérez Dávila** ha trabajado con su mentor,
Pilo Mora, por sólo dos años. Casi todas sus ollas están hechas con barro mixto que Pilo moldea y él pinta. Los motivos de sus diseños son del estilo Quezada (pero también del Porvenir y ocasionalmente
del innovador) con un énfasis en las bandas largas y sinuosas, que frecuentemente representan
serpientes de cascabel, que culminan en una fauce abierta. Javier es uno de los pocos alfareros de esta segunda generación que usa más de dos colores en sus vasijas polícromas.
Jorge Quintana Rodríguez aprendió las bases de la alfarería en 1984, cuando
era adolescente, con su tía Luz Gallegos, la madre de Blanca y Gaby Almeida. En ese tiempo miraba a Juan Quezada trabajar en su estudio y soñaba convertirse en un alfarero de la altura del
maestro. Fue hasta 1993 cuando Pilo Mora lo con-
venció para que dejara su profesión de
carpintero e iniciara el de-

Juan Quezada Celado.
Olla negra con
decoración en gris.
43.2 x 27.9 cm.
Colección particular.

Noé Quezada Olivas.
Olla con franjas divididas
en cuadrantes.
31.1 x 30.5 cm.
Colección particular.

Noé Quezada Olivas.
Olla negra con trazos
en gris.
19 x 24 cm.
Colección Native & Nature.

Nicolás Quezada Celado.
Olla de barro rosa con
decoración polícroma.
28 x 19.5 cm.
Colección Native & Nature.

PÁGINA SIGUIENTE:
Nicolás Quezada Celado.
Olla de barro rosa con
decoración polícroma.
26 x 19 cm.
Colección Native & Nature.

mandante trabajo de elaborar y
pintar cerámica. Jorge sigue una compleja técnica de cuadricula-
do, con frecuencia incluye animales mimbres como sus principales temas de diseño y los combina con figuras geométricas que conoció cuando
se dedicaba al negocio de tapetes oaxaqueños. Jorge siempre ha procurado la calidad de su producción manteniendo una actitud analítica, precisa y perfeccionista. Su
trabajo es reconocido por la rica gama de los pigmentos que él mismo ha logrado mejorar a lo largo de los años, y que suele vender a otros alfareros menos experimentados. Vive con su esposa y su familia en Nuevo Casas Grandes, aunque conservan una casa en Mata Ortiz.

EL ESTILO PORVENIR

Se distingue, sobre todo, por sus acabados negros y por el uso del grafito para el tratamiento de la superficie. Los decorados polícromos del Porvenir suelen realizarse sobre barro amarillo, al que se aplica
una capa de grasa para zapatos que aumenta el brillo. Las ollas son, por lo general, de mayor tamaño —aunque
se producen en mayor cantidad— y están decoradas con patrones de diseño más grandes, trazados con líneas menos
finas. También es común el uso de líneas rectas que al cruzarse crean ángulos agudos y formas entrecortadas, como triángulos, cuadrados y trapecios, acentuadas a su vez por puntos y líneas hechas con trazos cortos que se repiten
sobre la superficie hasta cubrirla por completo. Hay un mayor uso de líneas horizontales que sirven como ribetes (particularmente alrededor del cuello de la olla) y una disminución en los intentos por pintar imágenes especulares precisas a los
lados opuestos de la vasija, como es tan característico del estilo Quezada. Algunos llaman a esta técnica "sin geometría".
Muchos sobresalen en el estilo Porvenir con sus piezas zoomorfas y antropomorfas, que recrean efigies prehispánicas o animales que ellos conocen. En general, este estilo se inclina por las figuras más fuertes y atrevidas, así como por los patrones
de diseño que obligan a detener el camino de la mirada, por lo complejo y detallado de sus trazos. **Macario Ortiz Estrada** es
uno de los hermanos Ortiz más reconocidos (Los Hermanos Ortiz es también el nombre de su grupo musical, en el que él es
la voz principal). Junto con sus hermanos y sobrinos forma una familia de sorprendente talento creativo. Aprendió a hacer
cerámica en 1982, observando a Félix Ortiz trabajar en su pequeño estudio de El Porvenir. Para 1984, él y su hermano
Nicolás trabajaban para un comerciante estadounidense que los introdujo en el mercado de la alfarería de su país. Fue
entonces cuando la calidad de su trabajo mejoró considerablemente, por lo que para finales de los ochenta y principios
de los noventa, los hermanos Ortiz —Macario, Nicolás y Eduardo— ya eran considerados los mejores de El Porvenir. Como tantos otros artistas de Mata Ortiz, Macario siempre está experimentando y retando los límites
de su conocimiento. Fue a principios de los ochenta cuando él y uno de sus estudiantes, Rubén Lozano,
desarrollaron accidentalmente la técnica de cubrir con grafito la superficie de una vasija para obtener
un acabado negro brillante postcocción. Esta innovadora técnica ha revolucionado la producción
de piezas negras respecto de la técnica más tardada de reducción de oxígeno, y es ya una característica fundamental del estilo Porvenir. **Nicolás Ortiz Estrada** es quizá el más inspirado de todos. Sus habilidades ya son legendarias y su energía creativa no tiene
límites. Nicolás es primero escultor y después pintor, por lo que sus vasijas y
efigies no sólo son realistas, sino que también poseen un espíritu y una
imaginación más allá de lo creíble. Él, como sus otros hermanos, nació en Mata Ortiz y aprendió lo básico de la
alfarería de su hermano menor, Macario.
Su especialidad son las figuras

zoomor-

fas: conejos, águi-

las, serpientes, ratones y has-

ta tortugas del desierto. Nicolás es un

gigante silente, cuyos pedidos se extienden hasta

el siguiente milenio. **Eduardo "Chevo" Ortiz Estrada y**

Hortensia Domínguez Ortega forman un equipo muy productivo. Él,

junto con sus famosos y muy creativos hermanos, es considerado uno de

los mejores alfareros de El Porvenir, e incluso de Mata Ortiz. También es integran-

te de Los Hermanos Ortiz; toca el órgano, el acordeón y los tambores. Trabaja estrecha-

mente con Hortensia, su esposa, en su modesta casa, al extremo sur del barrio El Porvenir.

Él hace la vasija, ella lija y pule la superficie. Una vez que la pieza está preparada, ella se la devuel-

ve a Chevo para que pinte sus motivos de cuadritos. Cuando el diseño básico está terminado, Hortensia

rellena los espacios con pintura y Chevo quema la pieza. Han trabajado juntos más de una década. Son me-

jor conocidos por sus grandes ollas de apariencia metálica con acentos en grafito y por sus urnas trabajadas

en relieve con formas atrevidas, como las espirales que forman torbellinos de la boca a la base o los círculos cónca-

vos que dividen las vasijas en cuatro segmentos iguales. **Rubén Lozano Lucero** es uno de los pocos alfareros que no

nació en Mata Ortiz. Él llegó a la localidad en su adolescencia, tras haber crecido en Mexicali. A finales de los ochenta

aprendió el oficio al lado de Pilo Mora, en El Porvenir. Más tarde trabajó con los hermanos Ortiz, con quienes perfeccionó

su estilo. Hoy es ya un maestro en la producción de grandes ollas globulares en barro bruñido, libre de decoración, que se-

mejan brillantes y llamativas esferas de inmensa belleza. Con ellas ganó varios reconocimientos nacionales en 1993 y, dos

años más tarde, en Boca del Río, Veracruz. **Eli Navarrete Ortiz** es uno de los mejores alfareros pertenecientes a la segun-

da generación de la tradición de El Porvernir. Nació en la ciudad de Chihuahua en 1974 y aprendió el arte de sus tíos: Maca-

rio, Eduardo y Nicolás Ortiz. Mientras lo instruían, Eli desarrolló la tónica de su pensamiento creativo. Aunque otros han ex-

perimentado con diseños polícromos sobre acabado negro (Macario Ortiz, Rubén Lozano y Reynaldo Quezada, por ejemplo),

él ha llevado esta técnica a nuevos niveles de excelencia. Su habilidad artística resulta inspiradora. Mientras que muchos de

los alfareros de El Porvenir repiten durante horas el mismo diseño una y otra vez, al modo *staccato*, Eli ejecuta diseños

complicados que parecen repetitivos a primera vista, pero que al estudiarlos con cuidado, dejan entrever animales en-

garzados junto a formas geométricas que combinan elementos prehispánicos tanto paquimenses como mimbres. Al-

gunas veces esconde hasta siete representaciones de distintos animales dentro del diseño, utiliza incluso seis dife-

rentes colores. Su trabajo no es menos que genial y de continuar así se convertirá en uno de los mejores alfareros

que jamás haya dado Mata Ortiz. **Jaime Quezada** es hijo de Jesús, el hermano mayor de Juan. Su traba-

jo es único, pues combina los tres estilos. Trabaja con grafito e incorpora los típicos cuadritos del esti-

lo Porvenir, así como las bandas curvilíneas del estilo Quezada que se deslizan de la boca a la base

de la vasija. A estas estilizadas combinaciones incorpora cantos en forma de hélices o navajas

giratorias, propios del estilo innovador. **Olga Quezada Hernández y Humberto Ledez-**

ma Jaquez. Olga no es pariente de la familia de Juan, pero es reconocida como

una de las mejores pintoras de "cuadritos". Ella decora las ollas, mientras

que su marido, Beto, moldea, lija, pule y quema el trabajo de ambos.

Sus vasijas sólo pueden describirse como increíbles, pues son

las más ligeras de todo Mata Ortiz y sus paredes son

tan finas que "cáscara de huevo" es la ex-

presión que mejor denomina su

Mauro "Chico" Corona
Quezada.
Olla de barro blanco
con boca cerrada y
decoración polícroma.
31 x 26.5 cm.
Colección Native & Nature.

Héctor Gallegos y
Graciela Martínez.
Jarra de barro blanco con
pico escalonado.
27.5 x 25 cm.
Colección Native & Nature.

PÁGINA ANTERIOR:
Héctor Gallegos y
Graciela Martínez.
Jarra de barro blanco
con diseño seccionado en
tercios. 35.6 x 20.3 cm.
Colección particular.

sorprendente caracte-
rística. Los diseños alternan cuadros negros
y rojo siena, atravesados en el centro por
una línea azul-gris muy delgada que forma un amplio arco que recorre la pieza de la
boca a la base. **Andrés Villalba Pérez** aprendió
a hacer vasijas en 1986 gracias a su hijo, Sabino Villalba Hernández. A diferencia de otros alfareros, él prefiere seguir la tradición paquimense. "En honor de aquel pueblo antiguo",
suele decir. Es un estudioso del área y en su biblioteca hay varias docenas
de libros de arqueología, a la que se refiere constantemente. Respeta y admira
el trabajo de Juan Quezada, por lo que sigue su ejemplo buscando mejoras no sólo
en su técnica pictórica, sino también en la construcción de sus ollas. Andrés es reconocido por las vasijas-efigies antropomorfas y zoomorfas que decora al estilo polícromo Ramos.

EL ESTILO INNOVADOR

Con un énfasis distinto, el estilo innovador utiliza elementos de los estilos Quezada y Porvenir, como son las
largas y sinuosas bandas rematadas en una cabeza estilizada de serpiente o de perico, y los diseños figurati-
vos inspirados en motivos prehispánicos de las culturas mogollón, anasazi y mimbre. Los representantes de este estilo dan mayor importancia al hecho de pintar que al de moldear perfectamente una vasija. Muchos de ellos tienen
menos experiencia en la alfarería y, por consiguiente, es común que compren sus ollas de otros artesanos. Suelen mos-
trar un talento poco refinado debido a que su experiencia artística es limitada. En sus diseños hay una carencia de simetría y un mayor uso de formas animales, como pájaros fantásticos, lagartijas, serpientes e insectos. Con alrededor de
cinco diferentes pigmentos en una sola vasija, superan los dos colores de la mayoría de las piezas polícromas. **Leonel
López Sáenz** es uno de los alfareros más exitosos de Mata Ortiz. Ha desarrollado un método único para decorar la superficie
de sus ollas, que ya muchos están copiando. La característica que distingue el trabajo de Leonel es que sus diseños no están
pintados sino esgrafiados. Sus compañeros llaman a su técnica "trabajo calcado" que, según dijo, había aprendido algunos
años atrás al ver una fotografía de una pequeña vasija hecha por Joseph Lonewolf, un alfarero de Santa Clara Pueblo,
Nuevo México. Con esta técnica Leonel representa, en perfecta simetría, animales que bailan y retozan, peces que nadan
en filas, venados que brincan, ovejas que saltan o lagartijas y escorpiones que se arrastran por la superficie globular de
la vasija. Comienza su trabajo al delinear meticulosamente con una pequeña navaja de bolsillo o un palillo de dientes
las imágenes sobre la pieza, dejando ver el barro blanco a través de engobes de barro rojo, negro o amarillo. Leonel
es uno de los artistas más prolíficos del pueblo y, al igual que otros alfareros del estilo innovador, prefiere com-
prar sus vasijas. **Reynaldo Quezada Celado.** De toda la familia Quezada es uno de los que más experimenta.
Es el hermano menor de Juan y es considerado un artista nato. Aprendió a hacer ollas a finales de los
setenta con sus hermanos Juan y Nicolás, y perfeccionó su talento al lado de su hermana Consolación. Se le reconoce el haber descubierto la mezcla de barros que da a las vasijas un acabado
marmolado, tan frecuentemente usado por Pilo Mora y otros artesanos de El Porvenir.
Reynaldo fue también el primero en hacer hendiduras en el barro aún húmedo, que
una vez quemado adquiere la apariencia de un "tejido". Estas texturas son
consideradas reminisencia de las vasijas prehispánicas corrugadas
halladas en un área comprendida entre Casas Grandes y el
Cañón del Chaco, en el norte de Nuevo México.
En la actualidad, Reynaldo hace

Elías Javier Pérez Dávila.
Patojo de barro mezclado
(marmolado), con
decoración polícroma.
25 x 20 cm.
Colección Native & Nature.

PÁGINA 66 Y 67:
Porfirio "Pilo" Mora V.
Olla de barro mezclado,
con decoración
geométrica en negro.
22 x 19.5 cm.
Colección Native & Nature.

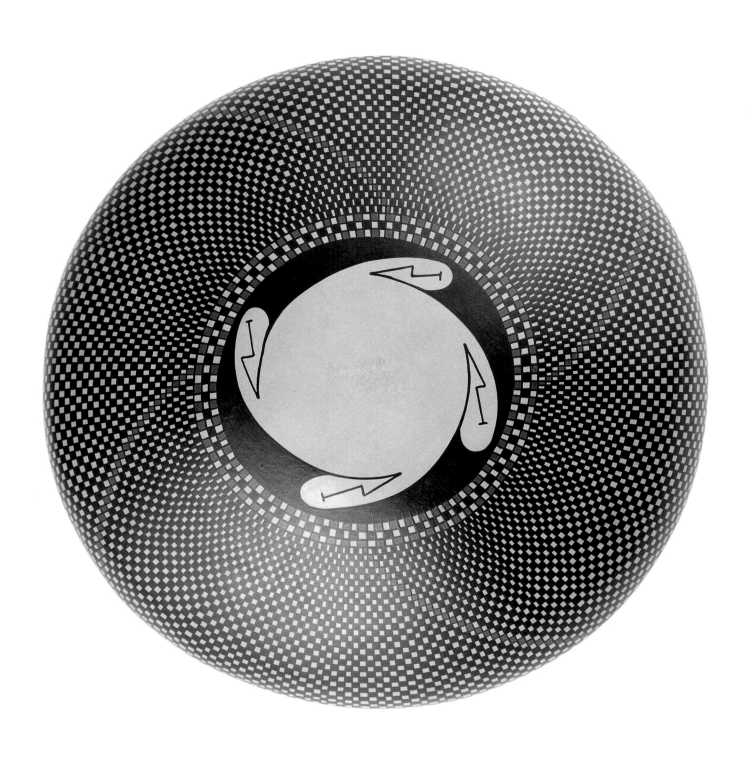

Humberto Ponce Ávalos y
Blanca Almeida Gallegos.
Olla con diseño a cuadros
en rojo y negro.
30 x 31 cm.
Colección particular.

tazones, urnas y ollas de amplios brazos
en barro negro brillante, siguiendo exclusivamente las
técnicas del grafito y del tejido. Su trabajo es elegante, innovador y
de apariencia moderna. **Manuel "Manolo" Rodríguez Guillén** es uno de los
jóvenes más innovadores de la segunda generación. A sus casi 25 años, ya le ha ense-
ñado, directa o indirectamente, a docenas de personas —familiares, vecinos y amigos— a
ganarse la vida con el trabajo en barro. Es un artista nato excepcional, que pinta sus diseños asi-
métricos en vasijas que compra a otros alfareros. Fue el primero de su familia en iniciarse en la alfarería. Esto ocurrió a finales de los ochenta cuando solía visitar la casa de los Quezada para jugar con Juan
Junior. Su trabajo ha evolucionado de las esculturas con formas caprichosas y juguetonas del principio a las
bien logradas ollas de barro blanco, rojo y amarillo, en cuyas superficies danzan sus diseños. Sus motivos incorporan figuras de reptiles, pájaros y peces, que "surgen" de complejos diseños geométricos inorgánicos y de pronto se
ocultan nuevamente en la compleja trama, tal como sucede en una pintura de Escher. Quien contemple su obra deberá
hacerlo con un ojo avizor, para que no se le escape detalle alguno. Como muchos de los mejores alfareros, Manuel tiene
pedidos que lo mantendrán ocupado por varios años. **Roberto Bañuelos Guerrero y María de los Ángeles "Ángela" López
Ávalos** constituyen el arquetipo del trabajo coordinado. Roberto pinta y firma —como es tradición— la continua producción de su mujer. Ambos aprendieron los principios de la alfarería de las hermanas de ella, Rosa Irene y Gloria Isela, cuña-
das, a su vez, de Reynaldo Quezada. Trabajan con barros de múltiples colores: amarillo, negro, blanco, rojo y mezclado; también hacen combinaciones de colores dividiendo el diseño de sus ollas en mitades, tercios y cuartos, como es común en el
estilo Quezada. Los elementos de sus diseños evocan motivos mimbres: conejos, peces, lagartijas, criaturas fantásticas, así
como los diseños de plumas o cuchillos. En una entrevista, esta pareja hizo referencia a la importancia de la experimentación y a la necesidad de evolucionar, día con día, en su trabajo. Al estudiar las diferencias estilísticas básicas de la
alfarería de Mata Ortiz debe tomarse en cuenta que cualquiera de los ceramistas adopta con frecuencia estilos y técnicas de los demás, pues muchos de ellos se encuentran aún en un periodo de experimentación. Éste es un arte que evo-
luciona; el cambio es una de sus constantes. Por lo tanto, el trabajo de algunos alfareros puede ubicarse en el límite
entre un estilo y otro. Por ejemplo, es posible que no resulte del todo correcto colocar a los hermanos Ortiz
dentro del estilo Porvenir; podría incluso argumentarse convincentemente que su trabajo debe considerarse
como una escuela en sí misma. El trabajo reciente de Lydia Quezada, por poner otro ejemplo, podría
clasificarse más apropiadamente dentro del estilo innovador. Sin embargo, mientras que no se rea-
licen más investigaciones en este campo y hasta que no se precisen las definiciones, las categorías de estilo propuestas estarán abiertas a un análisis crítico. *Traducción de Edgar Arredondo y Sandra Luna.* JIM HILLS. Maestro en geografía por la Universidad Estatal de Arizona. Ha
publicado varios artículos sobre los indios seri en revistas como *Arizona Highways, Native
People Magazine* y *Native American Art Magazine.* Desde 1986 coordina la
tienda del Museo del Desierto de Arizona-Sonora, en Tucson.

Manuel Rodríguez
Guillén.
Olla con perspectiva que
asemeja un diseño de
M.C. Escher.
24.1 x 17.8 cm.
Colección particular.

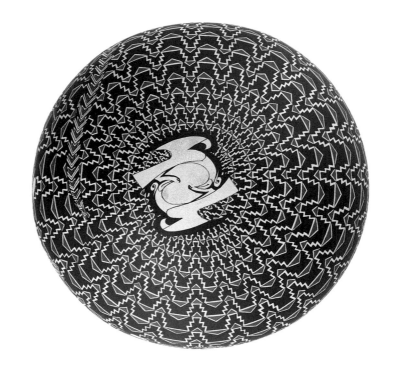

BIBLIOGRAFÍA

BELL, JAN, "Making Pottery at Mata Ortiz", KIVA. The Journal of Southwestern Anthropology and History, vol. 60, núm. 1 (The Pottery and Potters of Mata Ortiz, Chihuahua), otoño 1994, pp. 33-70.

BRANIFF, BEATRIZ, "Paquimé, pequeña historia de las Casas Grandes", B. Braniff (coord.), Papeles norteños, México, INAH, 1997. (Colección "Científica", núm. 363).

— Y MARIE ARETI HERS, "Herencias chichimecas", Arqueología, revista de la Coordinación Nacional de Arqueología del INAH, núm. 19, México, 1998, pp. 55-80.

— La frontera protohistórica pima-ópata en Sonora, México, tesis doctoral, México, INAH, 1992. (Colección "Científica").

CAHILL, RICK, The Story of Casas Grandes Pottery, Tucson, Bojum Books, 1991.

CONTRERAS, EDUARDO, Antigua ciudad de Casas Grandes, Chihuahua (Paquimé), Cuaderno de Trabajo núm. 1, México, Dirección de Monumentos Prehispánicos, INAH, 1985.

DI PESO, CHARLES C.; RINALDO, JOHN B. Y FENNER, GLORIA, Casas Grandes, a Fallen Trading Center of the Gran Chichimeca, 8 vols., Flagstaff, The Amerind Foundation, Inc. Northland Press, 1974.

FEWKES, JESSE WALTER, The Mimbres: Art and Archaeology, Tucson, University of New Mexico Press.

GILBERT, WILLIAM T., "Juan Quezada: Mexican Potter", en The Studio Potter, vol. 24, núm. 1, diciembre 1995.

— (curador), The Potters of Mata Ortiz. Transforming a Tradition, catálogo, Albuquerque, The University of New Mexico Art Museum, 1995.

— "Mata Ortiz: Traditions and Innovations", Ceramics Monthly, diciembre 1995.

HARRISON HARTMANN, GAYLE (editora), KIVA. The Journal of Southwestern Anthropology and History, vol. 60, núm. 1 (The Pottery and Potters of Mata Ortiz, Chihuahua), otoño 1994.

KELLEY, J., CHARLES Y ELLEN ABBOTT KELLEY, "An Introduction to the Ceramics of the Chalchihuites Culture of Zacatecas and Durango. Part I", en Mesoamerican Studies, núm. 5, Carbondale, Museum of Southern Illinois University, 1971.

MacCALLUM, SPENCER H., An Odyssey Complete and Continuing, Fullerton, Visual Arts Center, California State University, 1979.

— "Introduction: Chronology and Perspective on the Mata Ortiz Phenomenon", KIVA. The Journal of Southwestern Anthropology and History, vol. 60, núm. 1 (The Pottery and Potters of Mata Ortiz, Chihuahua), otoño 1994, pp. 5-24.

— Juan Quezada and the New Tradition, catálogo, Fullerton, Visual Arts Center, California State University, 1979.

— "Pioneering and Art Movement in Northern Mexico: The Potters of Mata Ortiz", KIVA. The Journal of Southwestern Anthropology and History, vol. 60, núm. 1 (The Pottery and Potters of Mata Ortiz, Chihuahua), otoño 1994, pp. 71-92.

NAREZ, JESÚS, Casas Grandes, catálogo, México, Colecciones Arqueológicas del Museo Nacional de Antropología, INAH, 1991.

PARKS, WALTER P., The Miracle of Mata Ortiz. Juan Quezada and the Potters of Northern Chihuahua, Riverside, The Coulter Press, 1993.

PRICE, WILLIAM F., "Through a Mother's Eyes: A Conversation with Doña Paulita", KIVA. The Journal of Southwestern Anthropology and History, vol. 60, núm. 1, (The Pottery and Potters of Mata Ortiz, Chihuahua), otoño 1994, pp. 131-148

RYERSON, SCOTT H., "The Potters of Porvenir: The Lesser Known Artisans of Mata Ortiz", en ibid., pp. 93-118.

SMITH, SANDRA, Portraits of Clay. Potters of Mata Ortiz, catálogo, Tucson, Sandra Smith, 1997.

— Paquimé: Grupo Pearson, artesanía viva. 52 Mujeres alfareras, FONAES/SEDESOL, 1997.

WILLIAMS, MICHAEL A., "La Familia Bañuelos: A Case Study of a Mata Ortiz Potterymaking Family", KIVA. The Journal of Southwestern Anthropology and History, vol. 60, núm. 1, (The Pottery and Potters of Mata Ortiz, Chihuahua), otoño 1994, pp. 119-130

— La lucha del barro: Two Potterymaking Families of Mata Ortiz, (tesis magistral), Temple, Department of Anthropology, Arizona State University, 1991.

THE CERAMICS OF MATA ORTIZ

MATERIAL PASSION
Alberto Ruy Sánchez Lacy

THE SEDUCTIVE GEOMETRY OF CERAMICS FROM

Mata Ortiz—a small town in the state of Chihuahua—represents a most intriguing creative phenomena in Mexican folk art. It burst onto the cultural scene with a force that can only be attributed to its great beauty. But the recent development and rapid diffusion of pottery in the region and the fact that it transformed the economic activity of an entire community in the space of just three decades are also surprising. This art form was born out of the explicit desire to revive an age-old tradition that had lain dormant for centuries—the desire of one man whose curiosity drew him into a cave he discovered as he was gathering firewood in the hills. He was struck by the beauty of some ceramic pots he found there—ancient vessels, some of them funerary offerings, known locally as *ollas pintas* or mottled pots. His thoughts became occupied by an perplexing question: how had a culture managed to create such beauty in that barren environment? He took this mystery as a personal challenge: he had to create something of equal beauty. And thus he embarked on an adventure: the long and arduous process of learning the craft of pottery without anyone to guide him in his technical experiments. What had begun as a hobby would become his life's prime focus and later the pivotal activity of his village. A chance meeting with a discerning buyer who introduced him to a whole new market sparked this transformation. Marta Turok, coordinator of this issue and of a related exhibit, interviewed the remarkable man who initiated this movement —Juan Quezada. Her text opens the door to understanding the creator's passion and how he deals with money, the tools of his trade, his own career, and with the people who act as intermediaries between artisans and their market. We see an individual who enjoys and takes pride in his work, whose raw material passion turns clay into true works of art. Juan Quezada tells us how every pot speaks to him before he paints it and that this dialogue is what inspires his designs. The pot's abstract shape works with the abstract quality of the painted designs to enhance the piece's visual impact. As if hypnotized, my eyes follow a vessel's intricately painted contours. One artisan who makes this kind of pottery calls the lines streets or paths. Another confesses that the labyrinthine tracery of his pots represents his life—though others may not perceive it. Lines and paths proliferate and intertwine or even sink back into the clay. Some observers go so far as to see the carefully drawn spirals ascending and descending over the surface of the pot as a kind of mandala: a ritual geometric diagram employed as a tool for contemplation, the image of an inner voyage and of a state of mind. Mystic and spiritual concerns are completely alien to the ceramics of Mata Ortiz, yet their meticulously traced patterns reveal a certain ritualistic creative process. Indeed, the finest of these works are art objects that call for intense contemplation. *Translated by Michelle Suderman.*

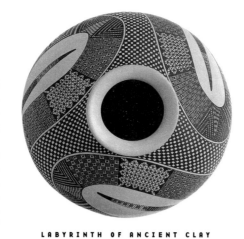

PAQUIMÉ: THE ROOTS OF A NEW CERAMIC TRADITION
Beatriz Braniff Cornejo

THE RENOWNED HISTORIANS OF THE COLONIAL

period—Sahagún, Motolinía and later, Ixtlilxóchitl and de Herrera—state that the enormous stretch of territory extending northward from the Tarascan and Aztec empires bore the name Chichimecatlalli (land of the Chichimec people) or La Gran Chichimeca as it was baptized by the Spaniards.

Chichimecatlalli also included territories belonging to New Spain and later Mexico that today make up the southwestern United States (Arizona, New Mexico, Colorado, Utah). The latter geographical division is misleading when referring to the time period discussed here and should only be applied to events that occurred within the past 150 years. Surprisingly, recent archaeological and ethnographic studies undertaken by the Smithsonian Institution extend the "Southwest" as far as Guanajuato—something a renowned anthropologist from that nation has termed "an ethnocentric habit of the United States," given that "the region, when seen from Mexico, ought to be called the Northeast," as another added.

Chichimecatlalli's inhabitants belonged to various cultural traditions which ranged from civilized to rural and nomadic and whose territories and cultural level changed over time. Some, such as the Teochichimec, lived off hunting and gathering while the Guamares, Guachichiles and Zacatecos were nomadic communities which spread throughout Guanajuato, Zacatecas and San Luis Potosí during the sixteenth century. Others known as the Toltec-Chichimecs were the northern ancestors of the Mexica and the Acolhua. During the first millennium of our era, these peoples developed a great culture in the present-day states of Zacatecas and Guanajuato which they abandoned around AD 1000–1200.

Paquimé, as it was named by the indigenous farmers who inhabited the area during the sixteenth century, or Casas Grandes, as the Spanish christened it, lies on the fringes of La Gran Chichimeca. This important city was part of an ancient northern cultural tradition that reached an impressive level of development thanks to ingenious adaptations to the largely arid environment: complex irrigation works, rainwater catchment and erosion control.

It must be pointed out that during the first millennium AD this ancient culture and Paquimé itself maintained continuous links with cultures to the south—today identified as Mesoamerican—including the Toltec-Chichimecs. Later they had links with the Toltecs, Mixtecs, Maya and peoples settled along the Pacific coast. It is not surprising then that in the far Northwest and especially in Paquimé we find Mesoamerican elements associated with the southern elites. These are generally of an ideological nature: the ceremonial ball-game, copper bells and representations of deities such as Tláloc, the "plumed serpent," the "turquoise serpent" or the "fire serpent" portrayed on socalled "back mirrors." Such elements suggest commercial and perhaps political relations between Paquimé and the southern elites. Such highly valued exotic items as iridescent shells from the coast and turquoise from northern mines have also been found in Mesoamerica.

Initially (ca. AD 750), Paquimé followed the predominant architectural style of this remote northeastern region. Villages were composed of small "pit houses" of a circular or oval ground plan with sunken floors and dome-shaped roofs. Later around 1200 when Paquimé had achieved its maximum level of urban complexity, a new style was adopted: the apartment compound. These buildings made up of many adjoining rooms and sometimes several floors—dubbed *pueblos* centuries later by the Spaniards—had existed in the area since AD 1000. Some can still be seen in Arizona and New Mexico.

Paquimé is made up of complex residential units composed of various rooms, floors and plazas with walls of packed earth, wooden columns and flat roofs supported by beams. From a distance the whole gives the impression of a labyrinth of enormous proportions. Among the ceremonial areas of interest surrounding the living quarters are two ball courts and the Mount of the Cross, a small hill likely used for astronomical observation. Drinking water was transported to the city from a relatively distant spring by means of a system of canals and gutters. Initially conveyed to cisterns, the water was subsequently distributed to homes which in turn utilized a drainage system. Paquimé's inhabitants collected the torrential rain that falls upon the Sierra Madre Occidental, channeling it to cultivated areas located in the sierra's lowerlying areas very close to the city. A huge number of terraces and walls were built for this purpose, an undertaking that must have entailed tremendous effort.

Paquimé was apparently the commercial and religious center of a powerful realm made up of settlements and villages distributed along the Casas Grandes River as well as on the banks of its tributaries flowing down from the Sierra Madre Occidental. Its territory stretched westward to the Sonora River in the present-day state of that name while to the east its dominion included all but the most arid regions of the Chihuahua Desert. Trade routes extended well beyond these territories. Conches and seashells from which artisans fashioned trumpets, bracelets and every kind of adornment were obtained from the coasts of the Gulf of California and the Pacific Ocean all along the Baja California peninsula. Turquoise from mines to the north—in present-day Arizona and New Mexico—was used for mosaics and jewelry that were distributed not only throughout the Northeast but also in Mesoamerica as far as Nicaragua and Honduras. Feathers and live macaws were imported from these southern regions, the latter kept in special cages prior to their use in religious and funeral rites. Paquimé imported pottery from Arizona and New Mexico and to a lesser extent from Durango, Jalisco and Nayarit. In turn, the city exported a large quantity of beautiful polychrome ceramics to Sonora and the North. Beyond a doubt, the highest artistic expression to be achieved by the artisans of Paquimé—jewelry aside—was their ceramics. Pottery constitutes a virtually inexhaustible source of information for archaeologists, due in part to its durability but especially for the information it provides on techniques relative to its elaboration and firing (type of clay, ovens, temperature control), function (ritual, domestic, decorative, commercial or funerary) and forms of decoration (themes, styles, painting, pigments, incised designs). This information in turn permits inferences concerning a particular culture's technical and scientific knowledge as well as its art and ideology.

As in the case of Paquimé's history, the study of its ceramic tradition can be broken down into three periods marking the development of this singular culture. During the first era known as the Old Period (AD 700–1200), pots were used to store grains, water and food and as offerings in religious and funerary rituals. Prototypes of other cultures in the north were reflected in pots and plates decorated with symmetrical designs painted in red or "textured" with linear incisions, points or pinches made prior to firing while the clay was still damp. Contemporaneous pots from Arizona and New Mexico have also been found there as well as several pieces from the south, including a hand drum.

The following 200 years known as the Middle Period marked the apogee in Paquimé culture. During this time the textured ceramics of the previous period continued to be produced while symmetrical decoration using red lines disappeared. Polychromy featuring black and red decoration on a white or light brown slip was an innovation in pottery manufacture during this time, as were uniform red or shiny black surfaces. Among polychrome ceramics, the so-called "Ramos" style stands out. It was used on a wide variety of forms: pots, bowls, bottles, miniatures, drums, human effigies, birds, serpents and animals. Their decoration was characterized by designs derived from the stepped fret and the macaw motif, frequently complemented by circles and squares featuring a point in the center. These resemble maize-kernel designs on Hopi banners of recent manufacture.

The abundant use of the stepped fret and the macaw motif to accompany central themes indicates that both designs had an ideological significance beyond the purely decorative. The stepped fret originated in Mesoamerica, specifically in Michoacán, subsequently spreading to Zacatecas. Around AD 600–700 it was likely brought to present-day Snaketown, Arizona, to then be disseminated throughout the Northwest. Later this design persisted among the Teotihuacan, Mexica and Mixtec cultures and can

still be seen on objects aimed at the tourist market. In Paquimé the stepped fret followed its southern prototypes though it was often distorted by adaptations, dislocations and omissions. Occasionally appearing as the central theme, the stepped fret generally accompanies plumed serpents, macaws and parrots (sometimes featuring serpents' tails), birds crowned with a double headdress and, infrequently, human beings with macaw-like attributes. Macaws are sometimes portrayed realistically but are more usually abstracted as fantastical beings. Occasionally only the tail feathers are rendered and these are sometimes even affixed to the head. There are at least three figures of a man-macaw in existence; they bear an unusual "tic-tac-toe" figure on the chest and abdomen. This deluge of new patterns and forms represented a drastic change. Though the majority of designs have northern antecedents (Mimbres pottery, for example) and others were shared with contemporaneous cultures, these forms— in particular some very striking effigies—do not seem to bear any similarity to either anterior or coetaneous groups to the north or the south, although effigies had existed in western Mexico from very early on. This suggests the inhabitants of Paquimé created these new formal concepts.

Following a decline of many years designated as the Late Period, Paquimé's story came to a tragic end. The beautiful city slowly deteriorated. No new construction took place and the walls of many buildings crumbled for want of maintenance. The people lived in the ruins of ancient civil and religious structures, making crude modifications and ramps to reach the shattered upper floors. The dead were interred carelessly in canals that had once been used to transport water, blocking them.

Around 1450 Paquimé and many settlements under its dominion were destroyed by fires set by unknown enemies, thereby provoking the final collapse that led to the zone being totally abandoned by these agricultural communities. The first Spanish expeditions to arrive there in the mid-sixteenth century encountered a very primitive society but were astonished by the ruins of Casas Grandes. The chronicler Baltasar de Obregón wrote, "This great city contains buildings that seem to have been constructed by the ancient Romans. There are many houses of great size, sturdiness and height. They have six or seven floors, with towers and walls like a fortress. The houses contain magnificent spacious courtyards covered with great and beautiful tiles that seem to be made of jasper." ✍

Translated by Jessica Johnson.

MATA ORTIZ: A CERAMIC RENAISSANCE
Walter P. Parks and Spencer H. MacCallum

ON NORTHERN CHIHUAHUA'S REMOTE HIGH plains, in the small village of Juan Mata Ortiz, more than 300 pottery artists are creating thin-walled ceramics painted with intricate, finely drawn designs. During the mid-1970s this unique art form originated as the inspiration of just one man: Juan Quezada. Since then it has become the dominant occupation in the village. Through exhibitions in museums and art galleries in Mexico, the United States, Europe and Japan, this pottery has begun to capture international attention as a fine art expression.

ORIGINS
So new is this movement that it does not even have a proper name on which everyone can agree. Some call it Casas Grandes, but this may cause confusion between the vibrant new work and that of the pre-Hispanic culture of the same name that flourished in northern Chihuahua between the eleventh and fifteenth centuries. Pottery fragments from that ancient people were the source of Juan Quezada's inspiration. To call the contemporary work "new" or "modern" Casas Grandes, however, suggests that it merely revives or copies the old, and even the most rudimentary examination of the new pieces reveals they are original artistic expressions. In the late 1970s when this pottery was first becoming known to the art world, the name Palanganas pottery was suggested, after the river that flows by the village. But it never did catch on and today most refer to it as Mata Ortiz pottery, after the village where it developed and where most of the potters still live.

Whatever its name, the origin of this new ceramic tradition is clear. Less than thirty years ago, Juan Quezada, woodcutter, railroad worker and self-taught artist, sold a few of his first pottery efforts to a storekeeper in the border town of Palomas, Chihuahua. No one knows what happened to those pieces. Possibly they were buried in the ground for a time to antique them and then resold as pre-Hispanic artifacts; perhaps they are still admired on someone's shelf. Whatever their fate, their sale encouraged Quezada to make more. By 1976, he was inscribing his name in the wet clay before firing so the pots would be permanently identified as his and so they could not be sold as antiques.

INTRODUCTION TO THE ART WORLD
One day in 1976, Spencer Heath MacCallum, a trained anthropologist and art historian, walked into a junk store in Deming, New Mexico, and was surprised to spot three pots different from any he had ever seen. The store-owner knew little about them but believed they had come from Mexico. Intrigued, MacCallum purchased them and returned home to California. He put the pots away on a shelf but his gaze was continually drawn to them. Somewhere in northern Mexico there was an extraordinary artist and potter and MacCallum finally decided he wanted to find him. That person was Juan Quezada.

Accompanied by his mother and a friend, he returned to New Mexico, crossed the border and began his search. Northern Chihuahua is a vast, empty territory with few settlements but even so he questioned everyone he met, showing them photos of the pots. Eventually he reached the small city of Nuevo Casas Grandes and was directed past along faint dirt tracks to the village of Mata Ortiz and Juan Quezada's adobe house by the river. The artisan was amazed to find visitors from the United States on his doorstep and even more amazed that they had photographs of his work. He politely welcomed his guests and after they were seated inside, took several pots down from a high shelf. Each was twelve to fifteen centimeters high and perfectly symmetrical, with walls so thin the pots sat lightly in the hand. A multitude of fine black lines defined spaces filled in with red and black paint to create connecting geometric designs. MacCallum examined each carefully and had no doubt that he had found the maker of the three pots from Deming.

Quezada told MacCallum he could make better pieces but it took time and no one was willing to pay higher prices. MacCallum knew he had stumbled onto something important and felt he should encourage the unknown artist. He offered to pay a good price for some samples of his best work and promised to return in two months. Quezada was skeptical that he would ever see the collector again but not only did MacCallum return, he began a working relationship with Quezada and other potters in the village that would last almost eight years.

Art historians often trace successful movements to certain defining moments that lifted the art form to new aesthetic heights or exposed it to new levels of public awareness. Certainly the first such moment for the potters of Mata Ortiz was Spencer MacCallum's discovery of Juan Quezada's work. MacCallum had an appreciation for both pre-Hispanic and modern Mexican art. In his youth he had lived and studied in Mexico and had the opportunity to work informally with archaeologists at the great sites of Teotihuacan and Monte Albán. Ten years later, living in the United States, he earned a degree in art history at Princeton University and then an advanced degree in social anthropology from the University of Washington. This meant he possessed the necessary contacts to enable him to introduce the pottery to a wider audience. And so he made a commitment of time, energy and money to make the early fruits of this new art phenomenon public.

When MacCallum first arrived in Mata Ortiz there were approximately eight villagers besides Quezada who devoted themselves part-time to pottery-making. MacCallum encouraged Quezada and together, the two motivated other fledgling potters to perfect their skills. Convinced that pottery afforded them the opportunity to improve their situation, increasing numbers began to learn the craft. Twenty-two years later, more than 300 potters support their families by making the characteristic Mata Ortiz ceramics. Of these at least a dozen have gained renown as world-class artists.

MATA ORTIZ, THE TOWN

Mata Ortiz is not a place where one would expect to find a thriving art movement. The town sits on the high plains just south of the Casas Grandes Valley, flanked on the west by the Sierra Madre Occidental and on the east by a small mountain range capped by a distinctive peak called El Indio. At the foot of the smaller range, the Palanganas River, a tributary of the Casas Grandes River, threads northward, its route closely paralleled by the Chihuahua-Pacific railroad. Between the river and the tracks, Mata Ortiz's three streets stretch for more than a mile, lined by one-story adobe houses. Nuevo Casas Grandes, the region's only town of considerable size, lies forty kilometers to the north over dirt roads. From there, it is a three-hour drive northeast to Ciudad Juárez or eight hours southeast to the city of Chihuahua.

Although by Mexican standards Mata Ortiz is a young community, founded after the turn of the century as a railroad and lumber-mill town, it is located in a richly historic area. Beneath the surface of the ground are the remains of the ancient Casas Grandes and Mimbres cultures, doubtless drawn there by the fertile land along the river, while a few kilometers to the north are the ruins of the great Casas Grandes city of Paquimé. There are also remnants of abandoned settlements and missions, the long-forgotten occupants killed or scattered by fierce nomadic tribes who dominated the area almost to the twentieth century.

During the eighteenth century Apaches ruled northern Chihuahua. The Spaniards tried to pacify this wild land by first sending in Jesuit and Franciscan friars to establish missions, followed by settlers and miners. But the Indians resisted, again and again ravaging the settlements.

After independence, the Mexican government fared little better. When Chihuahua became a state in 1824, only a few outposts existed in the North. The Apaches still roamed freely over the mountains and plains. Then in the confusion of war, politics and social reform during the presidency of Benito Juárez, a new force gradually took control, this time in the form of one man— Luis Terrazas, who in a few years became "Lord of Chihuahua."

A supporter of Juárez, an idealist and an opportunist, Terrazas took advantage of the danger presented by Apache marauders to acquire at low prices vast stretches of land that had been abandoned by its owners. By 1876 at the beginning of Porfirio Díaz's presidency, Terrazas owned much of the land north and east of the city of Chihuahua. He established many haciendas, one of the grandest being San Diego on the fertile land of an old riverbed only a few kilometers north of the current site of Mata Ortiz.

But Apaches still menaced the land, and in 1880, as state governor, Terrazas instituted a major campaign to eliminate them. His military commander was a cousin and old comrade-in-arms, Joaquín Terrazas. Second in command was a tough indigenous fighter from Galeana, Juan Mata Ortiz. With 350 soldiers, they relentlessly chased the Apache chieftain Victorio across the rugged territory until at long last, they cornered and annihilated him and his warriors at Tres Castillos. All of Chihuahua hailed the victors with cries of "Viva Terrazas" and "Viva Mata Ortiz." Although Juan Mata Ortiz was killed the following year by survivors of Victorio's band, the Apache threat was over. Northern Chihuahua was now open to Luis Terrazas, to foreign investment and to Porfirio Díaz's regime.

There followed a period of railroad building. Terrazas obtained a concession to build the first railroad from Ciudad Juárez to the city of Chihuahua, opening a major trade route. A Canadian, Frederick Stark Pearson, developed a second line from Ciudad Juárez through Nuevo Casas Grandes and southward to exploit the forests of the Sierra Madre Occidental.

At a railroad construction camp a few kilometers beyond Terrazas's elaborate hacienda buildings at San Diego, a point of easy access to the mountains, Pearson built a huge sawmill. Newspapers of the day called it the largest lumber mill south of Canada. The company town that grew up around the mill and the railroad repair yard took the name of Pearson; old-timers in the area still call it that sometimes. The name was destined to be changed after the revolution, however, to honor the memory of the old Apache fighter, Juan Mata Ortiz. The mill operated only a short time for more violence appeared on the horizon of northern Chihuahua. Francisco "Pancho" Villa rode out of the mountains to join Francisco Madero's struggle against Porfirio Díaz. Once more, northern Chihuahua became a battleground. Nuevo Casas Grandes and Mata Ortiz suffered raids and depredations, and the mill closed, never to reopen.

At one point during a lull in this campaign, Juan Quezada's great-uncle hid with his family's possessions in the tall grass near Mata Ortiz, waiting for the fighting to pass by his home in Santa Bárbara Tutuaca farther south. He always remembered that grass, and in 1941, he and his wife, accompanied by Juan's parents José and Paulita Quezada, moved to Mata Ortiz. Juan was one year old.

Virtually all the families of Mata Ortiz originated elsewhere in Mexico. Many came to work for the lumber mill or the railroad repair yard and then established cattle ranches on the unfenced plains or small farms along the river. Some worked in the apple orchards planted in the 1880s by Mormon settlers from Utah. The main link with the world beyond remained the railroad.

In 1963 the railroad repair yard in Mata Ortiz that had employed so many was shut down. Jobs became scarce. Stores, cafés and taverns closed. The town slumbered and decayed as many of its young men looked for work elsewhere. Juan Quezada's fateful decision some years later to leave his secure employment and concentrate on making pottery opened the way at first for a few families, then dozens, and finally hundreds who had faced a bleak and uncertain future.

THE ARTISTS

Mastering pottery-making techniques required time and dedicated effort. At first only members of the Quezada family worked at it, later teaching or inspiring others such as Taurina Baca and Roberto Bañuelos—both well-known potters today.

Félix Ortiz from the El Porvenir neighborhood at the extreme south end of the village also became interested in the craft. How much he actually learned from Quezada is unknown, but by the late 1970s he was producing pottery using a number of variations on Quezada's techniques. He was also painting in a unique style, preferring sweeping, unstructured designs considerably different from Quezada's carefully crafted symmetries. Influenced at first by Ortiz and somewhat less by Quezada, individuals and family groups in El Porvenir—the Silveira, Sandoval, Ortiz, Mora and González families—began making pottery, though in greater quantities and with less care. Initially Mata Ortiz pottery fell into two broad categories: finely made pieces from the main part of the village and an inferior version from El Porvenir. However the emphasis on quality eventually spread to El Porvenir and excellent work came to be produced there as well, particularly by the Ortiz brothers Nicolás, Macario and Eduardo. The work of these and other El Porvenir artists such as Andrés Villalba and Pilo Mora today ranks among the best coming out of Mata Ortiz.

By the time Spencer MacCallum discontinued his active work with the potters in 1983, there was a steadily growing trickle of traders and tourists finding their way to the village. This encouraged more villagers to leave the fields and orchards to make pottery. During the latter part of the 1980s and early 1990s, other names were added to the list of pottery-producing families: López, Rodríguez, Ledesma, Domínguez, Ponce and Cota. Subgroups grew up around particularly skilled family members or neighbors. No longer did the best work come only from the Quezada families.

The stage was thus set for an unprecedented flowering of Mata Ortiz pottery that even its most ardent admirers had failed to predict. Each new generation as it reached adulthood turned naturally to pottery. These young people grew up watching and helping family members but their primary inspiration remains the artistic and economic success of Juan Quezada, who still sets the standards against which all other potters must measure themselves. He constantly experiments with new designs, forms, clays and paints. Through trial and error and continued prospecting in the hills, he has found additives to make his black paint ''the blackest of blacks'' and his red ''the reddest of reds.''

Many young potters imitate his forms and designs, but as they hone their skills the true artists among them begin to break away and create their own distinctive styles. Sometimes they depart completely from the old Casas Grandes designs and even those of Juan Quezada.

A CONTEMPORARY ART MOVEMENT

The function of Mata Ortiz pottery has always been an aesthetic one: the pots have never been intended for practical use. Moreover, it originated with a single innovator in a remote village. These factors makes this art form difficult to define as it does not fit any traditional category. Most ceramic art in Mexico has grown out of traditional folk art, pieces made for practical use eventually coming to be appreciated for the aesthetic value of their ornamentation. Pottery from the Guadalajara, Oaxaca and Pátzcuaro regions have all been shaped by this process. But in the Mata Ortiz area no pottery had been made for more than five centuries, and the families of today's potters were recent arrivals from other parts of Mexico. Because it defies categorization and because of its rural origins, Mata Ortiz pottery tends to be lumped in with the traditional crafts of Mexico or of the Pueblo Indians of the United States, but the likeness ends

with certain basic similarities of technique and the inspiration of the Casas Grandes shards. The Mata Ortiz phenomenon is best defined as a sophisticated contemporary art movement with roots in a pre-Hispanic culture. This definition puts it in context with other art forms such as Renaissance art, which was inspired by archaeological discoveries from the ancient classical world, and modern abstract art, which borrowed heavily from African tribal forms.

No one knows where this art movement is going. Historically, such movements run a course, passing through a ''classic'' period and then becoming repetitious and stale—at which point art historians look back and lament the decline from the halcyon days. The classic period for Mata Ortiz pottery is now: potters produce new, innovative work each day. We are not looking upon relics from the past but have the pleasure of participating in the full flowering of a significant art movement, whose culmination still lies ahead. The best is yet to come. 〰

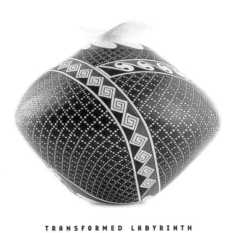

TRANSFORMED LABYRINTH

THE ALCHEMY OF CLAY
Bill Gilbert

ANY DISCUSSION OF POTTERY-MAKING IN THE village of Mata Ortiz must focus on the work of Juan Quezada. Starting from the simple assumption that the antique pots he had found must have been made from local materials, he began a period of creative experimentation that eventually resulted in a complete process for the creation of polychrome painted ceramics.

Wanting to make pottery of the highest quality, Quezada first used the purest clays he could find in the Palanganas riverbed. The clays were too plastic and all of his pots cracked in drying. The clue to solving this problem came from the paste of ancient potsherds. On close examination the shards revealed sand content in the paste. Quezada initially attributed this to carelessness on the part of ancient potters but was puzzled on noting the grit was present even in fragments from the finest ceramics. So he experimented with adding sand to his own clay and found the pots no longer cracked.

As time went on other technical problems surfaced. Clays along the riverbed were frequently contaminated with lime deposits. With changes in humidity, the lime expanded causing tiny spalls in the surface of the pots—pops and blisters that developed long after firing.

In search of a lime-free clay, Quezada experimented with many sources along the riverbed

and on the hillsides. His earliest successful clay bodies used a mix of clay and sand temper which he ground from stone similar in color to the clay. The sand temper gave the unfired pot strength and controlled its shrinkage but made it impossible to burnish to a smooth surface.

Mata Ortiz pottery comes in a wide range of colors, the most common being white, red, orange, yellow, *mezclado* or mixed, and black. Potters consider the white clay to be the most challenging. At least two distinct white clay bodies are used. One is obtained from a very pure but non-plastic deposit from the hillside east of the village and produces the whitest pots. It is difficult to handle, however, and only the most skilled potters use it in an unaltered state. The second is a mix of this clay with another one, often a beige clay from the Anchondo area. The combination produces a more plastic clay that fires to a cream color. Juan Quezada's pots are made from the pure white clay. Héctor Gallegos and Graciela Martínez use a relatively pure mix that produces a beautiful cream shade while César Domínguez and Gabriela Almeida make ecru- or beige-colored pots with a much higher Anchondo clay content.

The yellow clay is the most common in the area. It is also the easiest to work being both plastic and strong. It is used in the El Porvenir district for the production of their characteristically large pots and distinctive black ware.

The red clay in its pure form is considered too plastic for easy handling. Pots made of this clay tend to shrink excessively and crack. Olga Quezada and Humberto Ledesma produce the finest work with the pure red clay. They have mastered the use of this difficult clay to produce deep red pots that are consistently paper-thin.

While there are naturally occurring orange clays, the purest color is made by mixing red and white clays. This clay body is less prone to the excessive shrinkage and cracking displayed by the red clay. The best work being produced with this clay body are the large round pots of Roberto Bañuelos and Ángela López.

The *mezclado* clay body is made by partially blending two or more distinct clays. Small balls of each clay are pounded together to form a usable clay body. When the pot is sanded the striations of the different clays are revealed. Juan Quezada's brother Reynaldo is credited with this innovation. On finding one day he did not have enough of any kind of clay to make a pot, he mixed together several different clays. Even so, he would not have made his discovery had he not sanded the pot after drying, removing the homogeneous outer layer to expose the clay marbling beneath. Pilo Mora has gone on to produce some remarkable work using this technique.

There are three distinct processes for making black pottery in the village. Each black is the result of a specific method of firing that will be discussed later. This is by no means the extent of clay colors at use in Mata Ortiz. Nicolás Quezada is the first potter to create a rose-colored clay body. Héctor Gallegos and Graciela Martínez experiment with a salmon-colored clay, as does Gerardo Cota. José Quezada is known for his work in a gray clay. And Juan Quezada continues to lead the way developing pure yellow, purple and charcoal clay bodies.

CONSTRUCTION

To hand-build a pot, potters begin by rolling out a thin clay slab or *tortilla* and pressing it into a shallow, dish-like plaster form. After trimming the excess from around the edge, they form a large coil of clay and join its ends to make a ring the same size as the circumference of the mold. They lay this large annular clay roll on the mold and join it to the pot all the way around. By repeatedly pinching the roll between thumb and fingers, they force the clay upward to form the walls of the pot. They refine the overall shape, smooth out the surface and make the walls uniformly thin by scraping the outside of the pot with the serrated edge of a hacksaw blade while supporting or pressing it from the inside with their fingers. For a large pot, potters may add a second clay roll on top of the first. To form the lip they add a fairly small one. The last step after perfecting the final shape with the serrated edge is to smooth the surface with the non-serrated edge of the blade.

SANDING

Juan Quezada's practice originally was to paint the pot while still wet. He was not satisfied with this method, however, finding that in his rush to complete the painting before the pot dried he did not have sufficient time to mentally develop his design. Consequently, in the early 1980s he began to experiment with clays with a naturally occurring, very fine stone content. Using these new clays he was able to change his process significantly and eventually developed a method of sanding, burnishing and painting on dry clay. This enabled him to accumulate a number of pieces and then concentrate on painting them with no need to hurry.

In this system, Quezada sands the dry pot using first 100 and then finer 200 grit sandpaper. He coats it liberally with oil and then lightly with water before polishing with a smooth stone or deer bone to complete its preparation for painting. When the painting is complete he applies a small amount of oil to the pot and burnishes the paint to a high gloss. Painting directly on the clay body rather than on a thin layer of slip also results in richer colors.

PIGMENTS

Quezada considers the most challenging part of his entire ceramic technology to have been the development of his paints. They are made entirely from minerals and clays gathered from the local hills. His palette, like that of the ancient Casas Grandes culture, consists primarily of red and black. He experimented with a wide range of materials in formulating the pigments. "Older people here say the Ancients used to paint with mule's blood! So at one point, I ignorantly started adding animal or even human blood to my paint," Quezada comments.

Today potters in Mata Ortiz all use manganese from the same mine for their black paint. They refine the paint by repeatedly mixing the manganese in large amounts of water, allowing it to settle and then taking only the finest particles off the top layer. The manganese from this deposit contains enough clay for the paint to adhere to the pottery without any additional binder. Quezada adds a small amount of ground copper ore to the manganese to ensure the paint will not turn brown in a hot firing. "I was never at ease with pure manganese because as the temperature rises it starts to lose its blackness, so when the piece is fired the black paint turns brown," he comments. "I began looking for black minerals and after experimenting for a while, finally found one that stayed black. That day I didn't even want to stop work and go home! It was what I had been looking for. I ground it, added it to the manganese, and it came out pure black without the luster being burnt off." Although the potters all use the same source of manganese, the black paints display a wide range of quality. The best artists have a very dark black paint that becomes shiny when polished, giving the pot a perfectly smooth surface. In the early 1990s Gerardo Cota developed an extraordinary black paint that he polishes with a piece of nylon stocking. Perhaps the finest black currently used in the village is the one produced by Héctor Gallegos.

Both Quezada and Gallegos have stunning reds based on mixing ground iron ore with red clay. There are many varieties of red paint in the village since the artists use their own personal blends. The most prized are the purest reds, not muddied with brown earth tones.

In recent years a variety of colors have been added to Mata Ortiz's palette: blue, green, yellow and purple. Older potters are not interested in these new colors because they do not form part of the Casas Grandes heritage and are not made purely of minerals in the local environment. On the other hand, the younger generation has embraced this development wholeheartedly as a means to achieve a more contemporary style. Manuel Rodríguez was one of the first to expand his palette, mixing slips in a variety of shades. Since then members of the Ortiz family such as César Ortiz and Eli Navarrete have created distinctive styles based on multicolored designs painted on a black graphite surface.

PAINTING

The technical perfection of their painting and the complexity of their designs place the Mata Ortiz potters among the world's foremost ceramic painters. They create fine line work by applying pigment with a brush five to seven centimeters long, made from ten or twenty strands of a child's hair. Juan and Nicolás Quezada experimented with bird feathers and all kinds of animal hair before settling on human hair.

Before they begin painting the artists divide their design fields into two, three, four or even five equal parts by making marks on the lip and base of the pot. They then paint the design outlines freehand. They fill in spaces with a shorter, thicker brush and finally retrace the outline to sharpen the edges of the design.

In ancient Casas Grandes pottery and in most examples of Pueblo Indian pottery, the design field is contained by a horizontal band which separates the body of the pot from the lip and the base. One of Juan Quezada's most radical innovations was to eliminate these horizontal bands and paint the entire pot. His designs thus became much more curvilinear and his distinctive style emerged. Many potters have followed his lead, creating what he calls a sense of movement which is easily distinguished from the more static designs of the ancient Casas Grandes style. Quezada's nephews Mauro Corona and José Quezada have each developed styles based on these innovations.

Some younger potters have gone a step further and eliminated the repetitive design symmetry of Casas Grandes from their pots. Manuel Rodríguez paints his work in a freeform style that evokes M. C. Escher and Op Art. Leonel López has perfected a sgraffito technique in which he covers pots with a clay slip in a contrasting color and then carves designs over the entire surface, exposing the clay beneath. He specializes in scenes of the natural world.

Painting is clearly the skill most prized in the village. Pots made through a collaboration between potter and painter are generally signed by the painter. In recent years it has become quite common for artists to purchase unfired pots from other potters and paint them with their own designs.

FIRING

A major obstacle Juan Quezada faced was how to fire the pottery safely at a constant temperature and in an atmosphere that protected the clay and paint colors. His earliest attempts were with wood and charcoal that he and a friend brought down from the mountain to heat the container in which the pots were fired. At one point the heat became so intense that the whole container caught fire, burning their clothes and sending sparks everywhere. "If we didn't like the results," Quezada recalls, "we'd say, 'we won't even earn enough for new pants!'"

Next Quezada tried firing on the ground with the pot surrounded by a wire cage to keep the wood away from the pot. He still was not satisfied with this system as metallic fumes from the wire cage discolored the pots. Finally after much experimentation and ruined pottery, he discovered a method that produced an even temperature and bright colors. He fires his pots singly or in small groups on the ground covered by an inverted clay pot or saggar which protects the pots from rapid or uneven rises in heat that can affect the colors. This method of firing is still common in Mata Ortiz, though, as with all stages in the process, each potter has added his or her personal adaptations.

Cow manure has always been the fuel of choice throughout Mata Ortiz. However the increasing number of potters in the area and the lower cattle population due to a recent drought have combined to produce a severe depletion of this resource. In the past two years many potters have changed to cottonwood bark but there is also a shortage of that resource. Most artists feel the bark burns cleaner than manure and is therefore better for white pots. Several potters have recently been experimenting with pine and cottonwood, with varying results.

Increasing shortages of 'natural' fuels are causing some artists to consider using electric kilns. Although they are quite common among the Pueblo Indian potters of the southwestern United States, traders and writers of that country view electric kilns as non-traditional and therefore less desirable.

BLACK FINISHES

To fire black ceramics, one or more pots are placed on a bed of finely ground manure and covered with a metal bucket that is pressed into the dirt to seal the chamber from the outside air. Next, the exterior of the bucket is completely covered with cow manure or bark. Finally the pile of fuel around the bottom of the bucket is doused with kerosene and lit. The fire burns intensely for about thirty minutes. The crumbled manure inside the bucket smolders, creating a smoke-filled chamber. The carbon in the smoke penetrates the open pores of the red-hot clay body. As the chamber cools, the pores close, adhering the carbon to the pot's surface and thereby creating the black finish.

In 1995 a collector asked Juan Quezada to replicate a large gray-on-black pot that he had made fifteen years earlier for Spencer Mac-Callum. He agreed but decided to experiment with a different process. He formed the new pot with red clay and buffed the surface with a cloth instead of polishing it with a stone. He then painted the buffed pot with designs in a white slip and fired it in a sealed metal bucket. The result was a beautiful satiny black pot with gray designs. Quezada's son Noé and daughter Mireya have followed their father's lead by producing lovely large pots using this technique.

Perhaps the most important innovation generated by someone other than the Quezadas has been the black-on-black finish created by Macario Ortiz of El Porvenir, characteristic of his family's work. Having placed his signature in pencil on the bottom of a pot, Ortiz noticed that the pencil lines turned a brilliant black on firing. He decided to experiment with covering an entire pot with graphite before firing. The graphite provides a metallic surface that creates a much stronger contrast with the painted designs than pottery that is only burnished. This innovation, which swept the neighborhood of El Porvenir and soon spread to other parts of Mata Ortiz, produces a highly dramatic effect and commands a ready market.

Although burnished black pottery was common in the ancient Casas Grandes culture it was never painted. Juan Quezada's youngest sister Lydia was the first potter in Mata Ortiz to create painted black ceramics.

Despite the many challenges and transformations, the pottery of Mata Ortiz has conserved its power to astonish. Juan Quezada's example as an experimenter and innovator has permeated the entire village as other artists work to establish their own aesthetic signature. On a purely technical basis the work is equal to any hand-built pottery in the world, but in terms of its aesthetic merit it covers a wide range as some artists follow trends in contemporary fine arts while others adhere to the traditional roots of the Casas Grandes culture. Change is very rapid, making it difficult to predict how the work will evolve in the future. One thing is certain: whatever direction this movement takes, it should not be lost from sight.

THE SOUL OF A POTTER: JUAN QUEZADA

Interview with Marta Turok

THE VOICE OF JUAN QUEZADA CELADA—ARCHI-tect of the so-called "miracle of Mata Ortiz"—rings with an unmistakable northern intonation and with such force that it seems to issue from the depths of his soul. His words boom with great assurance through the living room, kitchen and dining room. Slight of build and with heavy black eyebrows, Juan sports a thick head of hair flecked with gray, lending him an air of distinction. He dresses in a rather plain cowboy style: checked shirt, jeans, pointed boots and a Texan hat. His adobe house is just as unaffected as are he and Guillermina Olivas, his wife and lifelong companion with whom he has had eight children.

There are two display cabinets in the living room—one covering an entire wall and another smaller one. The first is full of pottery made by Juan and his children—Noé, Juan Jr. and Nena (Mireya)—who have also chosen the potter's craft. Most pieces are commissions awaiting delivery and only a precious few are ones waiting to be sold. The small cabinet contains diverse objects presented to Juan, including vessels made by his pupils from the United States. On one wall hangs a framed woodcut of geometric designs that he made during one of his trips to California where he led summer ceramic workshops at the Idyllwild School of Music and Arts [ISOMATA] from 1982 to 1990.

I made several trips to Mata Ortiz between April 1998 and February 1999 to organize the first exhibit of the village's master potters, sponsored by the Franz Mayer Museum, and to prepare this issue of *Artes de México*. The first person I had to speak to was Juan. His consent was pivotal to the project and the other potters' agreement to participate depended on it. He had a clear interest in a show in Mexico City given that for a number of reasons, none had been mounted so far. He was concerned about packing, shipping insurance, the commitment of exhibition organizers and the prestige of the forum chosen. He was encouraged by the fact that US collectors and dealers whom he had dealt with for years were also enthusiastic about the project. When we sat down to talk in October of 1998, he was more confident and relaxed. Following are the high points of our conversation.

Do you still travel to the United States every year to teach? I don't have the time anymore. It's very important for me to go places, whether small or large, well organized or not. But right now I have a lot of commissions and a lot of people waiting. Some people are impatient and others very relaxed. Sometimes they come and leave me a deposit to ensure they will receive their pots. But they get tired of me telling them to wait. It's tough on me as well. You work and work, only to comply with half your commitments. That is why it is so important for other people from Mata Ortiz to participate too. It's good for the whole village. The same would be true if they were to go to a pottery event in the United States.

Nevertheless, courses are now organized right here in Mata Ortiz, isn't that so? This summer we've organized four, right Guille? [She corrects him: there will be five.] They're given at private ranches people let me use. We always start out as strangers at these workshops, but by mid-week we're all one family. I like them a lot because they expose me to new ideas from people I've never met.

You have always shown concern for the village—you discovered all this and always encourage the others. It satisfies me to see a family that can live off pottery for a year or two or three as a result of my efforts. The longer it lasts, the greater my satisfaction. And when a pupil of mine makes better pots than I do, it is a source of pleasure rather than envy. We're all human and have feelings, but never to the point of saying, "how I envy him." Around here we take clay wherever we find it—we're on communal land, though I'm sometimes offered clay from private ranches. But on communal land, anyone can take whatever they find.

Up in the mountains, people were thinking of teaming up to charge us. I told them this was the best thing we've got going in the village so why would they want to do a thing like that? How much do they really expect to get from us? It would cost them more to put guards up there.

It's nice to spend time with someone who shares your profession and enjoys it. It's not the same as with a paid worker. A boss can work from sunrise to sunset without getting tired because he believes in what he's doing. But a worker isn't as eager—he's only there to get his day's wage.

Well, Juan, for some it's work and for others, a minority, it's a means of expression. I see lots wanting to join in but not everyone has a potter's soul. There are people who do invest energy in it, who are interested, but very few. When are they going to spend a whole day looking for clay? You tell me. For many it's only a job.

Some of us think about art and others about dollars. As Noé said when I asked him what he thinks about when he's making a pot. He answered, About the dollars, of course.

Lots of people think about improving their work, but it's to earn more money, not because they want their work to be appreciated. When I show a piece or someone looks at it, I watch their reaction: sometimes it's feigned and sometimes it's real. I keep an eye on everything, you know? We went to Pennsylvania once. The director's wife said she had arranged for me to get paid a bit more. I thanked her, but she expected me to jump for joy. I told her I'd jump for joy when I saw people looking at the show and enjoying it, not because they buy.

Why do you think you have the soul of an artist, where did you get it? It's natural. I've had it as long as I can remember. I've enjoyed making things with my hands since I was six or seven years old. Back then no one here knew anything about paints or sculpting tools. I sculpted and painted and liked to make furniture as well—anything I could do with my hands. For years, since I was just a kid, I showed people what I did because I wanted to see their reaction.

I did a painting once and showed it to my brothers and sisters. I was pleased, I liked how it had turned out. A few days later they told me

ABOVE:
Palanganas River.

BELOW:
**Jorge Quintana.
Polychrome pot
with lizard.
20 x 16.5 cm.
Native & Nature
Collection.**

PAGE 81:
**Lydia Quezada.
Pot with matte black
serpentine decoration
and polished black
highlights on a black
background. 35.5 x 28 cm.
Private collection.**

PAGE 82 AND 83:
**Humberto Ponce A. and
Blanca Noelia Almeida.
Pot with polychrome
checkered designs and
serpents. 24.1 x 24.1 cm.
Native & Nature Collection.**

a lady had come and bought it. But it wasn't true, they were kidding me and I felt awful. Later on, when I was thirteen, I worked with wood, always the hardest kind to work. I used to sit by the window and my dad would yell at my mom, "Where's Juan?" She would always answer, "He must be somewhere making his figurines." It was something they couldn't understand.

There was a little storeroom with stuccoed walls at home. On the days I didn't have to go get firewood (my brothers and sisters and I took turns), I would go in there and draw. My greatest joy was to paint the walls until I was done and then step back to look at them. When I was satisfied with the result, I would wipe them clean and start again. At the time I had no idea I would devote myself to this. I didn't think about pottery. I wasn't even aware it existed. There was a legend about treasures appearing during Holy Week. As a boy, I heard they were found in *ollas pintas*—spotted pots—but that some had skeletons in them instead of treasure, so that turned a lot of people off looking for them.

I made a living gathering firewood—we had to survive somehow. I'd go up into the mountains and into caves, with donkeys to carry the load. Since the poor things had to eat and have a rest before coming down, I would leave them for an hour or two and go into the caves. There I found beautiful pots, some whole, others glued together. I brought a few back down with me and someone remarked, Those are *ollas pintas*! I was fascinated by their painted designs and thought, I've got to make something like this. I wasn't thinking about making my living that way—I just wanted to make a pot. It was very hard because I had never seen a potter before. I began to experiment with clay, paint, brushes and firing methods. Just in terms of brushes, I experimented with feathers from all kinds of birds and hair from every animal. It was a war I was fighting. I learned to control the clay, prepare and polish it and all that. And when I finally managed to make a few pieces that turned out well, I showed them around but got no re-

action. People around here already knew I was doing this but didn't say much about it.

What motivated you to sign your pieces? In the first place to avoid problems with the law. Once they came looking for me because they thought I was making copies of ancient pieces. I was fascinated by the idea that people then could make such beautiful things with what they had around them. When the pots began to turn out right, I started paying attention to form, the mouth, how I was going to decorate them. Each pot speaks to me in a different voice. Then it occurred to me that potters should sign their pieces so people know who made them.

The decoration you use has evolved over time. Which style is the most difficult? At first I decorated the whole pot. Then I thought I only needed to do half of it. I used to draw straight lines in the Paquimé style. But little by little I loosened up and began to do less drawing with more movement. In recent years I have come to use only the lines I need to feel the pot is a finished piece. I think it's harder to paint that way and that's why I study the pot a long time before beginning the design.

What is the most important thing for young people who are just beginning to work with clay? That they not be satisfied with the first thing they achieve. They should go further, fall in love with the clay, go out and find the deposits. I've just found a vein of purple clay. I go out looking for all the different colors— white, rose, orange, and now this purple one. They should experiment, do tests so they can accomplish more than the first generation of potters. Quality is what's making the village famous abroad—that must not be lost. Anyone can look inside himself or herself and discover a personal style. We have no reason to copy— here there are no limits on what we do. I know some are now using graphite and commercial pigments. I can't speak for everyone but I believe much of the magic comes from rediscovering our ancestors and respecting them while at the same time looking toward the future. That's probably it. *Translated by John Page.*

DIALECTS OF CLAY
Jim Hills

THE MAGICAL QUALITY WE SEE AND FEEL IN THE pottery produced by Juan Quezada and his many students expresses the artist's striving for creative expression and the struggle each potter has with the clay due to climatic vagaries, clay quality, accidental breakage or poor firings, any of which can destroy the realization of an imaginative vision in the blink of an eye.

Yet despite these risks and disappointments, potters often say they have felt the ground move beneath their feet as their creations unfold. As lines of black paint traverse the white, red or yellow surfaces of their clay jars, they speak of forgetting time and "going beyond," "surpassing" or "pushing back" the barriers of the material. Their struggle with clay is indeed a kind of battle, but one that arises more out of passion than combativeness.

The works that have emerged from this passion are producing an almost religious enthusiasm that has spread around the world from Mexico City to Seattle, from New York to Tokyo. The exponential growth of this art form, from Juan Quezada's earliest efforts to the bold sophistication and constant innovation of today, is called by some "the miracle of Mata Ortiz."

Accounts of this miracle have drawn many a curious visitor from around the world to the small town where people always greet callers with a smile and an endless stream of *pásele* and *siéntese*—"come in" and "sit down." Yet in the midst of the hubbub that popularity brings, Juan Quezada and his students are able to maintain a center of gravity in Mata Ortiz.

A COLONY OF ARTISTS

How was it possible for a society of railroad workers, farmers, homemakers, cowboys and woodcutters to become a colony of sophisticated artists in such a short time? Some say it was out of economic necessity. Others attribute it to Juan Quezada's determination and his encounter with Spencer MacCallum in 1976. Still others say buyers disillusioned with the soaring prices of earthenware pots in the southwestern United States were attracted by the lower cost of comparable pieces in northern Mexico. Finally, some suggest it had to do with the absence of psychological barriers that could inhibit a person from believing he or she could be a potter, and not just a potter: an artist.

MacCallum points out that in the 1970s, the people of Mata Ortiz never considered themselves artists and as such, had nothing to prove to outsiders. They had no reputation to uphold but they did have time, boundless curiosity and patience, and a willingness to work hard. Their first sales inspired them to continue the slow process of becoming proficient at building and painting vessels—in short, of becoming artists.

A parallel situation was that of the Seri Indians living near Bahía Kino in Sonora along the Gulf of California. During the early 1970s their ironwood carving industry—initiated a decade earlier through the influence of a single man, Jorge Astorga—began to attract the attention of collectors. Creation for the Seri has little to do with the Occidental notion of art and much to do with completing a job. It is everyday stuff and anyone can participate. Indeed the closest equivalent to "art" in the Seri language means "to finish."

Day in and day out, the children of Mata Ortiz watch their parents, uncles and aunts as they sculpt, polish, paint and fire clay. They listen to them discussing their work among themselves and with traders, collectors and friends. Some of these children even furnish a tiny bit of their own hair to provide bristles for paintbrushes. Thus they have come to understand potterymaking as just something people do, something that has value and that brings respect to the entire family.

It is no surprise therefore that the wildfire of creativity which began with Juan Quezada's first pots in the early 1970s spread to a second generation of potters that came of age during the mid-1980s and early 1990s. That same wild-

BELOW:
Miriam Gallegos.
Small pot with lid and
checkered polychrome
decoration.
10.2 x 14.6 cm.
Native & Nature
Collection.

PAGE 85:
Humberto Ponce A. and
Blanca Noelia Almeida.
Small pot with mouth.
21 x 24 cm.
Native & Nature
Collection.

PAGE 87:
Patricia Ortiz.
Marbled clay pot with
polychrome decoration.
25.5 x 20.3 cm.
Private collection.

PAGE 92:
Óscar Rodríguez Guillén.
Pot with classic
Mimbres designs.
35.5 x 30.5 cm.
Private collection.

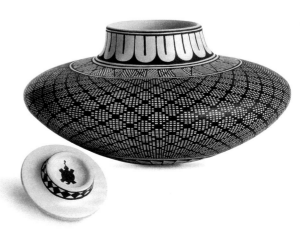

fire is even now engulfing a third generation, with no end in sight.

CREATIVITY SPREADS

Juan Quezada had perfected the manufacture of slip oxide paints by 1970 and for nearly a decade thereafter kept his recipes secret from the other potters who did not understand the subtleties of making natural paints. His willingness to share his knowledge was well-known, but so was his insistence on all the potters taking the craft seriously and maintaining excellent standards. Otherwise, he would simply not provide them with paint, and in the early years that was tantamount to not being able to make a sale as few buyers were interested in undecorated pots. At times this policy created friction between Quezada and those who learned from him, but it also had the calculated effect of forcing his students to better their work.

Beginning in 1973 or 1974, spirals of smoke could be seen rising skyward from El Porvenir at the southern end of Mata Ortiz, across the arroyo from where Juan Quezada and his students were working: Félix Ortiz Rodríguez, his brother Emeterio and some friends were also experimenting with clay. Ortiz was not a close friend of Quezada's so he gleaned information in part by questioning him directly, but mostly through serendipitous observation, rumor and stealth. His brother-in-law Salvador Ortiz may have played a special role in the spread of information to El Porvenir given that Quezada had invited him to be the godfather of his youngest son, Arturo, thus sparking a relationship between the two men that may well have loaned itself to a greater exchange of knowledge.

The potters of El Porvenir did break new ground, however. Félix Ortiz developed the continuous-coil method of forming a pot which bears a closer resemblance to the techniques of the Pueblo Indian potters of the US Southwest than to Quezada's single-coil or "doughnut" approach. Still, Ortiz and his followers had little regard for workmanship and were not as serious as Quezada's group, which by 1976 consisted of his brothers Nicolás and Reynaldo, his sisters Reynalda, Consolación and Lydia, and Lydia's friend and next-door neighbor Taurina Baca—the core group that set the standards for what we see today as the Quezada style.

Beginning twenty-five years ago with just one man, this ceramic art movement has grown to comprise over 340 potters, most of whom still live and work in Mata Ortiz. Over the past few years, however, dozens of potters have moved out of the village to the larger nearby community of Nuevo Casas Grandes, near the archaeological site of Paquimé. The twenty-seven potters from Mata Ortiz and Nuevo Casas Grandes discussed below constitute a representative sampling of the hundreds presently sculpting and painting clay. Their work illustrates the superb craftsmanship and artistic expression in the region and demonstrates how each individual contribution has affected the ceramic movement itself. There are others whose work may be equal to those listed below but we feel the following artists best typify the current trends in style, quality and innovative techniques. To help one understand who these potters are and what distinguishes them in terms of style and technique, we have broken their work down into three general categories: the Quezada style, the El Porvenir style and the innovative style. Each stylistic motif, each production method, represents a specific dialect—a variant of the language of clay.

THE QUEZADA STYLE

Noted for its symmetry, refinement and technical excellence, this style typically features white clay bodies with polychrome mirror-image designs after the fashion of the pre-Hispanic Casas Grandes pottery that is known as Ramos Polychrome. In this modern earthenware there is a greater effort to integrate unpainted or negative space into the overall design. This school also utilizes long sinuous arcs and, lately, sickle-shaped forms which move obliquely across the surface of the vessel from rim to base. These curvilinear forms give the viewer a sense of movement. In fact when one views the pot from above, these designs often resemble a balanced pinwheel spinning around the axis of the pot's opening. If they are represented two-dimensionally on paper, they appear as a galaxy's arms spiraling outward into empty space.

Juan Quezada Celado is a teacher first and foremost. Reading through the biographies of his pupils, his influence on the village and its surrounding areas is quite evident. After solving many of the complex technical problems he faced during the 1970s, he began a study of design and was the first to break with the tradition of horizontal banding so common to pre-Hispanic Paquimé earthenware. When he made this decorative change and abandoned two-dimensional motifs, straight lines and angles for long sweeping curvilinear brushstrokes, his designs took on a three-dimensional and kinetic quality. This is a primary trait of what we call the Quezada style, which has further evolved with his handling of large empty or negative spaces between the curvilinear bands.

Lydia Quezada Celado is Quezada's youngest sister and has always loved working clay. She learned pottery-making from her brother in the late 1970s while living with her parents in Mata Ortiz. She prefers to work in all colors of clay, ranging from brilliant white to polished black. Of all the potters working today, she is the most adept at painting long sweeping bands bounded by negative space. Lydia Quezada has always been on the leading edge of experimentation, having originally perfected the now-common black-on-black pottery after meeting María Martínez of San Ildefonso, New Mexico, at an exhibition in Albuquerque's Maxwell Museum in 1979. She does not use graphite but rather the traditional and more difficult oxygen reduction method of turning pots black. Her most recent innovations include the combination of black painted designs with highlights of black polished surfaces on a matte black background, and reshaping the vessel mouths in a pinwheel form, giving a sense of movement to the piece. Her work is among the best being created today and as such is difficult to obtain.

Nicolás Quezada Celado was Juan Quezada's first student and has been potting for nearly twenty-five years. Analytical, experimental, inquisitive and innovative, he is one of the unsung heroes of the Mata Ortiz revival. He has always worked in the shadow of his older brother but was in fact one of the leaders in developing solutions to the endless technical difficulties in the early years. He paints long elegant sweeping arcs that flow from rim to base, primarily on white clay or the rose-colored clay he discovered recently. He refers to these lines as the "roads" one must follow to create a work of art. The best way of describing his work is that it possesses life and movement.

Noé Quezada Olivas is Quezada's eldest son and the best potter and painter of all the Quezada children. His painting style is unique among the potters of Mata Ortiz, using the long sweeping arcs and bands of his father but painting tiny checks and dots within those bands to give his designs a "computer board" look. He also enjoys making fish, frog and owl sculptures with his distinctive style emblazoned across the surface. Today, however, his work is beginning to look more and more like his father's, utilizing the same minimalist style of painting. His wife, Betty Quintana, is an excellent potter in her own right. They and their children live in Barrio Central near the Palanganas River.

Mauro "Chico" Corona Quezada is the youngest son of Juan's eldest sister, Consolación Quezada. He first learned the craft from his mother when he was only seven or eight years of age. Now in his early thirties, he is setting the standard for design innovation with his minimal brushstrokes and utilization of negative space. His large white egg-shaped vessels are painted with strong curvilinear geometrical forms ending in sickle shapes to create a style that is at once spartan and dramatic. He and Noé Quezada may be the best of the second generation of potters. Corona forms, sands, polishes, paints and fires his own vessels. He specializes in large white pots painted with rich red and black polychrome designs whose detail and movement reflect the influence of his famous uncle. He is married to Martha Martínez, another excellent potter. They live in Barrio Central next door to Consolación Quezada.

Damián Quezada Escárcega and Elvira Antillón live in Nuevo Casas Grandes and have been working together for almost five years. Antillón forms the vessels of white and pink clays while her husband paints complex polychrome images across their surface. A unique characteristic of Damián Quezada Escárcega's work is the manner in which he lays out designs. The surface is divided into five, six or even eight sections of identical repeated elements. Most potters utilizing the Quezada style prefer to divide their designs into either three or four design segments. Needless to say, because of the large number of sections, his work is complex and difficult to comprehend at first glance. He is a talented artist and learned to paint from Nicolás Quezada Celado in less than a year. One of the better second-generation potters, he has the potential of becoming a master potter like his uncle, Juan Quezada Celado.

Héctor Gallegos Flores and Graciela Martínez Esparza. Like the Quezadas, the Gallegos family is miraculously talented. This talent came to the surface in 1987 when Graciela Martínez Esparza began experimenting with small, simple clay figures. Her neighbor in Barrio Americano, Armando Rodríguez, taught her to make pottery, and she in turn taught her husband Héctor Gallegos Flores to paint in the Mimbres style. Today they work efficiently as a team on more complicated, difficult pieces such as large wedding vases, long-necked stepped urns or vessels with relief butterflies or lizards molded into the clay. Martínez Esparza forms most of the pots her husband paints, but they bear his signature according to the customary practice in Mata Ortiz. Neither of the two ever hurry their work, making each piece a study in wonder and inspiration.

César Domínguez Alvarado and Gabriela Almeida Gallegos live in Nuevo Casas Grandes, working on their pottery as a team. She builds and polishes the vessels while he sands, paints and fires them. They learned pottery-making from Jaime Domínguez, César's brother, in the 1980s when they still lived in their native Barrio Americano in Mata Ortiz. They are best known for their large polychrome plates (black and red on white clay) decorated with modified pre-Hispanic Mimbres designs surrounded by complex lines, dots and frets common to both the Mimbres and Paquimé traditions.

Humberto Ponce Ávalos and Blanca Noelia Almeida Gallegos live and work together in Nuevo Casas Grandes. She forms, sands and polishes the pots which Ponce Ávalos then paints with delicate, complex polychrome checkered designs. He enjoys working with Paquimé design elements, particularly serpents, and has become famous for checkerboard motifs that incorporate a snake coiling around the vessel from rim to base. The couple learned the craft of pottery from Blanca's sister Gabriela Almeida Gallegos and her husband César Domínguez Alvarado nine years ago, when they all lived in Mata Ortiz. In 1991 the two families moved to Nuevo Casas Grandes to allow both Domínguez and Ponce to further their careers as schoolteachers, as well as to provide better educational opportunities for their children.

Porfirio "Pilo" Mora Villalba is one of the more influential of the early potters from Mata Ortiz. Before moving to his present home in Nuevo Casas Grandes he learned to pot from Emeterio "Telo" Ortiz when they lived in El Porvenir. He began potting in 1974 and, like his brother Manuel Mora, enjoys experimentation. He discovered early on how to make mineral oxide paints, something few people are skilled at even today. Pilo Mora recounts how during the late 1970s he and Juan Quezada would talk about their respective discoveries and help one another to improve paint quality. His labyrinthine designs on mixed or marbled clay are an example of the finest line work being done in Mata Ortiz. "A lot of people look at my pots and just see a lot of lines," he says. "But what they don't realize is that this maze design represents my life." He admits, somewhat sheepishly, that the idea for one design came from a dream. Because Mora is losing his sight in one eye, he has taken on several apprentices to help paint his finely crafted vessels. Two of his better students, Elías Javier Pérez Dávila and Salvador Almazán, have been awarded prizes in local pottery competitions. Mora is known for his use of mixed clay (around ninety percent of his pots are marbled) and the intricate line work which is an endless source of delight and astonishment

for buyers. He is one of the few potters in the Quezada style who continues to use shoe polish to intensify the sheen on his pieces. Pilo Mora is a good example of the potters who move frequently back and forth between the Quezada and El Porvenir styles.

Elías Javier Pérez Dávila has been working with his mentor Pilo Mora for only two years. He paints mainly mixed clay pots made by Mora. His design motifs are generally in the Quezada style, with periodic incursions into El Porvenir and innovative styles. He emphasizes long, curving, sinuous bands, often in the form of rattlesnakes ending in an open mouth with fangs. He is one of the few second-generation potters to use more than two colors on his vessels.

Jorge Quintana Rodríguez first learned the basics of pottery in 1984 as a young man, instructed by his aunt, Luz Gallegos, mother of Blanca and Gabriela Almeida. During his formative years he watched Juan Quezada working in his studio and dreamed of becoming a potter like the master himself. But it was not until 1993, almost ten years later, that Pilo Mora convinced him to give up carpentry and sign painting to begin the demanding profession of forming and painting pottery. Quintana mainly uses complex checkerboard designs, often with Mimbres animal images, coupling these elements with geometric designs he learned while in the Oaxacan rug business. He has always pursued quality and has refined his production with an analytical, precise and exacting work philosophy. His work is known for the rich palette of colors in the paints he has perfected over the years which he often provides to less experienced potters. He lives with his wife and family in Nuevo Casas Grandes and has a second home in Mata Ortiz.

THE EL PORVENIR STYLE

This style is best known for its use of black finishes and graphite as a surface treatment. El Porvenir polychrome designs usually appear on bodies of yellow clay, often with a coat of shoe polish to enhance the surface sheen. The more commonly produced pots are large in size with larger design patterns and coarser line work. The style is usually characterized by the use of straight lines meeting at sharp angles to create staccato forms like triangles, squares and trapezoids accented by dots and short strokes that are repeated over the surface to fill up most of the space. There is a greater use of horizontal bands as borders, particularly around the neck, and little use of the exact mirror images on opposite sides of the pottery so typical to the Quezada style. Some refer to this method as "without geometry." The El Porvenir style lends itself particularly well to sculpted human and animal figures that either reproduce pre-Hispanic images or animals the potters are familiar with. In general then, the El Porvenir style tends to have stronger, bolder shapes and patterns that stop the eye in its tracks due to their complexity and detailed tracery.

Macario Ortiz Estrada is one of the most widely known of the Ortiz brothers (in fact he is the lead singer in their band, Los Hermanos Ortiz). Along with their nephews, they form a family of amazing creative talent. Macario Ortiz first learned to pot in 1982 by watching Félix Ortiz work in his tiny studio in El Porvenir. By 1984 he and his brother Nicolás were working with

a trader from the United States who exposed them to that country's pottery market. Their work improved dramatically in quality during that time so that by the late 1980s and early 1990s, Macario, Nicolás and Eduardo Ortiz were considered the best artisans in El Porvenir. Like so many Mata Ortiz artists, Macario Ortiz is always experimenting and broadening his knowledge. In the early 1980s he and one of his students, Rubén Lozano Lucero, discovered a technique for producing a black finish by applying graphite to the surface of the vessel before firing. This innovative technique revolutionized the production of black ceramics, which were traditionally made using the more time-consuming oxygen reduction process. It is a fundamental trait of the El Porvenir style.

Nicolás Ortiz Estrada may be the most inspired of all the Mata Ortiz potters. His abilities are legendary and his creative energy boundless. He is a sculptor first and a painter second, lending his pots and effigies a realistic quality as well as their incredible spirit and imagination. Like his other brothers, he was born in Mata Ortiz and learned the basics of potting from his younger brother Macario. He specializes in zoomorphic effigies such as peccaries, rabbits, eagles, mice, snakes, and even desert tortoises. He is a quiet giant, and has orders for his brilliant work to keep him busy into the next millennium.

Eduardo "Chevo" Ortiz Estrada and Hortensia Domínguez Ortega are a productive team of potters. Ortiz, along with his creative and famous brothers, is considered one of the best potters of El Porvenir—and for that matter, of Mata Ortiz. He is also a member of the band, Los Hermanos Ortiz, in which he plays the organ, accordion and drums. This couple works closely in their modest home on the southern edge of El Porvenir. After building the vessel he hands it over to his wife who sands and polishes the surface. Once the vessel is prepared she gives it back to Ortiz so he can paint the surface with checkerboard motifs. When the basic design is done, Domínguez fills in spaces with paint and then Ortiz fires the pot. They have been working together for over ten years and are best known for their large metallic vessels enhanced with black graphite and urns with bold relief forms such as spirals swirling from rim to base or concave indented circles dividing the vessel into four equal segments.

Rubén Lozano Lucero is one of the few successful potters today who was not born in Mata Ortiz, having arrived there in his teens after living in Mexicali. He learned his craft from Pilo Mora when he lived in El Porvenir during the late 1980s and early 1990s. He later worked with the Ortiz brothers, perfecting his style. Today he produces masterful burnished globular vessels —large unadorned orbs of immense beauty and boldness. His pieces were awarded a number of prizes nationally in 1993 and two years later in Boca del Río, Veracruz.

Eli Navarrete Ortiz is one of the finest second-generation potters in the El Porvenir tradition. He was born in the city of Chihuahua in 1974 and learned the craft from his uncles Macario, Nicolás and Eduardo Ortiz. He developed the tone for his creative thought during this period of study. Although others have experimented with multiple colors on black ware (Macario

Ortiz, Reynaldo Quezada and Rubén Lozano Lucero, to name a few), he has pushed the technique to new levels of excellence. His artistic ability is inspirational. While many potters from El Porvenir spend hours repeating the same design over and over in a staccato fashion, Navarrete paints complex designs that may appear repetitive but when studied closely, reveal interlocking geometric forms and animals combining Paquimé and Mimbres elements. Sometimes he hides up to seven animals throughout the design, using six or more paint colors. His work is nothing short of brilliant and if he continues, he will become one of the top potters to come out of Mata Ortiz.

Jaime Quezada is the son of Jesús Quezada, Juan's older brother. His work is unique in that it combines all three styles, incorporating the graphite surface treatment and checkers typical of the El Porvenir style, the curvilinear bands swirling from rim to base as found in the Quezada style, and pinwheel-shaped mouths such as those used in the innovative style.

Olga Quezada Hernández and Humberto Ledezma Jacques. Unrelated to Juan Quezada's family, Olga Quezada is widely acknowledged as one of the better painters of the checkerboard motif. She paints all the pieces while her husband builds, sands, polishes and fires their work. The resulting pottery can only be described as incredible—it is the lightest produced in Mata Ortiz today, with walls so thin they should be dubbed "eggshell." The black checkerboard design painted on sienna red clay is traversed by thin blue-gray lines forming arcs that sweep from rim to base.

Andrés Villalba Pérez was taught pottery in 1986 by his son, Sabino Villalba Hernández. Unlike most other potters, he prefers to adhere to traditional Paquimé designs—"to honor that ancient people," as he often says. He has studied the area and maintains a library of dozens of archaeology texts to which he constantly refers. Villalba's respect and admiration for Juan Quezada's work have inspired him to constantly strive to improve his painting techniques and pot construction. He is best known for his effigy pots of human and animal figures painted in the Ramos Polychrome style.

THE INNOVATIVE STYLE

This style utilizes elements from both the Quezada and El Porvenir styles but with a different emphasis—for example, long sinuous bands ending in the head of a stylized snake or parrot, or figurative designs adapted from ancient Mogollón, Anasazi and Mimbres motifs. Artists in this group place more emphasis on the act of

painting than on actually producing a well-constructed pot. In fact, many have less potting experience and as such, often buy unpainted vessels from other potters. They tend to exhibit greater raw artistic talent despite their limited experience. Designs are non-symmetrical and rely more on whimsical animal forms such as birds, lizards, snakes and insects. They also utilize up to five different pigments on a single vessel, whereas most polychromes have only two.

Leonel López Sáenz is one of the most successful potters working in Mata Ortiz. He has developed a unique approach to decorating his pots that many now copy. His designs are incised onto the surface of the clay body rather than painted, a technique some refer to as *trabajo calcado*, or traced work, which he discovered a few years ago in a photograph of a small pot by Joseph Lonewolf, a potter from Santa Clara, New Mexico. Utilizing this sgraffito technique, López depicts dancing and frolicking animals, schools of swimming fish, deer leaping, sheep prancing, or lizards and scorpions crawling around the clay globe vessel. He begins his perfectly symmetrical designs with a small pocketknife or a toothpick, painstakingly cutting the images onto the pot to expose the white clay through the red, black or yellow clay slips with which he covers the piece. López is one of the more prolific artists in the village, and, like others in the innovative style, prefers to buy ready-made pots from other potters.

Reynaldo Quezada Celado, the youngest brother of Juan Quezada and a talented artist, is one of the most experimental potters in the family. He learned the craft in the late 1970s from his brothers Juan and Nicolás and perfected his skills working with his sister Consolación. He is credited with the discovery of mixing different clays to give pots a marbled appearance, a technique now commonly used by Pilo Mora and others. He also pioneered the use of textured indentations in damp clay giving a braided or woven look to the surface of the finished vessel, reminiscent of the pre-Hispanic corrugated ware found in a region extending from Casas Grandes to the Chaco Canyon in northern New Mexico. Today he uses this technique to decorate bowls, urns and pots with wide shoulders —all in the intense polished black produced by a graphite surface treatment. This potter's work is elegant, innovative and modern in appearance. He currently lives in his family's home in Barrio Central.

Manuel "Manolo" Rodríguez Guillén is one of the most innovative of the second-generation potters. Just in his mid-twenties, he has taught

—either directly or indirectly—dozens of family members, neighbors and friends how to make a living working clay. He is an exceptionally talented artist who prefers to paint his asymmetrical designs on pots he buys from other people. Rodríguez was the first in his immediate family to begin potting. His initiation in the trade came during his teens: a friendship with Juan Quezada Jr. afforded him the opportunity to observe the master at work in his home. His production has evolved from the early whimsical sculptural forms into white, red or yellow pots with his designs dancing across the surface. His motifs incorporate organic forms such as reptiles, birds and fish that grow out of detailed geometric designs and then just as quickly seem to revert back into the complex inorganic pattern, in a manner reminiscent of Escher's paintings. One must view his work with a sharp eye so as not to miss any of what is going on. Like many of the better potters, he has a backlog of orders that will keep him busy for years. He presently lives with his wife and baby in Barrio Americano.

Roberto Bañuelos Guerrero and María de los Ángeles "Ángela" López Ávalos represent the very paradigm of teamwork in the village, Bañuelos painting and signing López's continual production of pots. This couple learned the principles of potting from Ángela's sisters Rosa Irene and Gloria Isela López, also sisters-in-law to Reynaldo Quezada. They work in many colors of clay—white, yellow, black, red and mixed—and paint in varied color combinations, dividing the field into two, three or four parts as in the Quezada style. Designs incorporate traditional Mimbres motifs and feather or knife-blade patterns as well as innovative animal figures: rabbits, fish, lizards and fabulous creatures. In an interview they discussed the importance of experimentation and the need for constant change in their work.

In studying these basic stylistic differences one should be aware that any of these potters can and do adopt styles and techniques from each other. This is an evolving art form which is still in an experimental phase. As such, change is one of the few constants and potters often criss-cross stylistic boundaries. For example, placing the Ortiz brothers in the El Porvenir style may not be altogether correct: a convincing argument could be made to show their work is a distinct school in its own right. And Lydia Quezada's recent work might more aptly be termed innovative. Until more research is carried out and definitions are refined, these categories are open to critical analysis. 🖾

El arte

de

Cartier

Resplandor del tiempo

Museo del Palacio de Bellas Artes

Abril 14 - Julio 18, 1999

Resplandor del tiempo

Alfonso Alfaro

El Museo del Palacio de Bellas Artes presenta, en la primavera de 1999, *El Arte de Cartier. Resplandor del tiempo*, muestra excepcional integrada por alrededor de 300 joyas creadas por esta prestigiosa casa desde 1847. Un encuentro privilegiado entre el público y unas piedras preciosas que, evocando distintas épocas y culturas, develan sus misterios. En este brillante artículo, Alfonso Alfaro reflexiona sobre los profundos significados que encierra el fulgor de una joya.

Todas las tribus poseen sus lenguajes secretos: no puede existir sociedad sin espejismo ni cultura sin derroche. Tan indispensable es para los individuos el tiempo que destinan a trabajar para nutrir su carne como el que consagran a tratar de volverla hermosa, a hacerla digna de ser mirada y admirada. En todas las economías, el motor último no es la necesidad sino el deseo, y no hay civilización que pueda sobrevivir sin propiciar la inmolación de ofrendas: a la divinidad, a ella misma, a los ojos amados. • Cada pueblo dispone, pues, de sus propias joyas: las adolescentes del Sahel disfrutan las largas horas en que aderezan su cabello o decoran su rostro, los hombres de Yemen compiten por el primor de la empuñadura de sus dagas, las mujeres del Japón o de la Mixteca realzan su hermosura y su prestigio con la calidad de sus sedas… en las sociedades más arcaicas y precarias habrá siempre tiempo para enhebrar una sarta de cuentas, pulir un trozo de madera o hacer incisiones en un fragmento de hueso. • Porque no puede existir comunidad sin juego y sin anhelo, sin objetos que se distingan de los demás, sin substancias preciosas o fórmulas sagradas. Los diferentes tesoros propios de cada tribu (platino, carey, plumas de quetzal) son objetos que tienen la encomienda de efectuar la transición entre las horas ordinarias y los momentos únicos, entre la rueda que gira cotidiana y las órbitas transparentes de la imaginación. • En las tribus formadas por las elites de Occidente, las joyas hechas de metal y pedrería son un fuego domesticado que se porta sobre la piel, que la acaricia; sus destellos tienen la capacidad de encender las miradas. Las gemas concentran las paradojas: parecen inútiles para la subsistencia pero se revelan sumamente valiosas para estimular el intercambio de bienes y de signos y para alentar la innovación y el conocimiento; son imprescindibles para la imaginación y la fantasía (¿qué sociedad puede vivir sin sueños?). No hay materia más dura ni llama más intensa y frágil que la suya, vulnerable a cada cambio de luz. • Ante su colorido los espíritus más graves vuelven a los goces primarios del caleidoscopio; niños de nuevo, excitados, ávidos, eufóricos. Todas las piedras son mágicas, transforman a quien las porta en quien quiere ser: poseen la virtud de conceder la belleza. Su volumen es exiguo pero pueden proporcionar tanta seguridad como un alto peñón: son la principal defensa de las mujeres en aquellas sociedades polígamas donde sólo la dote protege del repudio. • Si las perlas son en la India hijas de la luna y el nácar alimenta en China a los espí-

ritus venerables, en Andalucía y en México las joyas son plegaria y ternura en las estatuas pías. • Ellas prestan su lenguaje a todos los cuerpos femeninos: a aqué-llas que aspiran a nimbarse de claridad etérea o a apoderarse de la fuerza de la luna conviene el platino. • Para las que buscan las aristas perfectas que recortan el aire, la transparencia insondable, habitada de reflejos, la forma de la luz, la lumbre pura, los diamantes recelan el fulgor de todas las promesas. • Las que quieren ex-presar el vigor de la edad y del deseo, la calidez de los aromas intensos y de los go-zos vibrantes, disponen del oro color de sol; también del verde pródigo y secreto, el azul de los astros, el rojo vivo… espectro formado en las entrañas de la tierra y portador de sus pulsiones encendidas. • Para todas, en fin, la tibia plenitud del círculo y la esfera, el deleite sutil del tacto ge-neroso; una materia hermana de la piel y de la luz serena: las perlas, guardianas de la memoria del mar, son capaces de atesorar en su carne silenciosa los mismos impulsos que dieron nombre al barroco. • Las alhajas tienen un extra-ño pacto con el tiempo: las gemas fingen no advertir sus pasos y son signos de equilibrio, casi de eterni-dad; sin embargo, tienen capacidad de transformarse por completo: la talla puede hacerlas morir y renacer. La fusión produce también en sus metales una cade-na de vida ilimitada, la única reencarnación segura: ¿qué fue antes la materia de esta sortija? ¿cómo estar seguro de que algunos gramos de su masa no provienen de un pecto-ral de la reina de Saba y otros de la ajorca de una campesina de Angkor? • Cartier fue quizá, en nuestra época, el artífice que más profundamente comprendió esa capacidad de las joyas para fungir como eco de los siglos cuando se lanzó al rescate de las piezas arqueológicas de Egipto y a la recuperación de los vitrales destruidos en los bombardeos de la catedral de Reims. Esos fragmentos fueron vueltos a la vida, a otra vida nueva y distinta: al ser montados en joyas contemporáneas se convir-tieron en presencia de un tiempo inaccesible. • La firma, que es encrucijada de continentes, fue también punto de encuentro y relevo de los siglos. No sólo nos transmite día a día los legados del Antiguo Régimen a través de su sentido del trabajo y de su

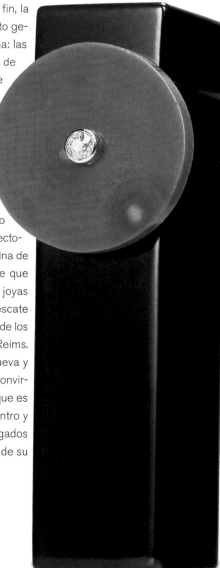

proyecto estético, también quiso producir piezas que pudieran vincular nuestra época con los más lejanos rincones de la memoria humana. • El arte de Cartier, hijo del Occidente ilustrado, tiene sólo dos maneras de percibir lo que sucede fuera de las orillas de la conciencia y de la historia, en las esferas inmóviles del absoluto y la eternidad: las sabidurías arcanas de las civilizaciones distantes (Egipto, el hinduismo, el taoísmo…) y la mirada a la contingencia y a la sustancia del tiempo. • Los relojes de mesa se convirtieron en las principales piezas de ornato fabricadas en sus talleres. En un mundo que necesitaba justificaciones prácticas para entregarse a los goces exquisitos, el *objet de vertu* tendría un mecanismo y una función: tratar de vislumbrar el tiempo, de escudriñarlo; intentar comprenderlo ciñéndolo al menos con cifras y medidas. • Desde el principio de siglo, cuando la manga larga fue haciéndose menos estricta, y la belleza de los brazos femeninos se convirtió en deleite permitido a la mirada, el empeño por imponer el reloj de pulsera hizo de Cartier un precursor: una joya activa, como la máquina, como el futuro, convertida en ornamento inmediato de la piel. • También desde el principio del siglo comenzaron a desaparecer las joyas de luto. El hundimiento del *Titanic* fue una de las últimas ocasiones en que fueron utilizadas como un elemento ordinario del atuendo de pésame. La Gran Guerra provocaría un efecto decisivo: sería necesario evacuar de las joyas toda referencia trágica. La muerte había sido familiar, cotidiana, omnipresente; estaba, hasta una época muy cercana, integrada por la cultura religiosa a la cadena de la vida. El Occidente racionalista y emancipado no pudo soportar el horror de su presencia. • Ese fenómeno, iniciado desde el ocaso del barroco, iría cobrando fuerza paulatinamente. En la cultura de las elites europeas, un momento simbólico de este itinerario tuvo lugar como un episodio menor: la donación a un museo, por parte de la reina María, de las alhajas de duelo pertenecientes a la casa real británica. Una de las mujeres más obsesionadamente apasionadas por las joyas, prefirió deshacerse de ese fragmento de su prestigiosa colección; la muerte era algo demasiado inquietante para tenerlo cerca. • Conforme nuestra época iba adquiriendo su propia identidad, ese proceso se iría afianzando en múltiples territorios de las sensibilidades occidenta-

Broche de mariposa.
Cartier París, 1945.
Oro amarillo, esmalte, coral,
esmeraldas y diamantes.
8 x 4.4 cm.
Perteneció a Josette Day.
Collection l'Art de Cartier.

Página anterior:
Broche de moño.
Cartier París, 1906.
Platino y diamantes.
17. 5 x 6.5 cm.
Perteneció a Lady Ernest Cassel.
Collection l'Art de Cartier.

Página siguiente:
Broche de pantera.
Cartier París, 1949.
Platino, zafiros, diamantes y
diamantes de colores.
6 x 3.7 x 3 cm.
Perteneció a la Duquesa de
Windsor.
Collection l'Art de Cartier.

les. Cartier ha sido en esto sumamente fiel a su mundo de referencia y también a uno de los más consistentes legados de la tradición estética francesa (proveniente del racionalismo del siglo XVII, de la Ilustración del siglo XVIII y del positivismo del siglo XIX): una de las maneras de intentar vencer a la muerte (y al mal y a la violencia) es evacuar su figura, empeñarse en construir universos límpidos, perfectos. donde nada los recuerde ni los evoque; trabajar con ahínco para tratar de derrotarlos con una de las pocas armas que pueden hacerles mella: la belleza. • Las atmósferas producidas por los objetos de Cartier —que aspiran a construir el presente como un paraíso sin añoranza del pasado y sin nostalgia del provenir, como un edén sin serpiente y una naturaleza sin monstruos— deben mucho a esa opción, tan arraigada en las sensibilidades francesas del Siglo de las Luces. Para combatir esa cosmovisión y esa estética (para restablecer los canales de comunicación con las fuentes "premodernas" de la cultura europea) nació en el siglo XX el surrealismo. • El arte de Cartier es el modelo situado exactamente en las antípodas de esa corriente que había de ser tan poderosa y revelarse tan persistente a través de avatares muy diversos a lo largo del siglo. Nada hay en Cartier de la zozobra onírica, del fantasma inquietante; ninguna irrupción de pasiones inconfesadas y escondidas. Sus joyas, materia inmutable y resplandor efímero, triunfo de la voluntad y del ingenio, lograron atrapar la luz, circunscribir el fuego. En ellas se acalla toda voz desgarrada y queda domada toda pulsión extrema. Así pudo Cartier atenuar la fiereza de esfinges, dragones, cocodrilos y panteras. • Quedaba sólo el tiempo, invencible. Cartier intentó atisbar su resplandor, aunque fuera de soslayo: trató de aprisionar su reflejo y su medida en jaulas de esmalte y de cristal de roca, atar su vuelo con lazos de ónix, de jade y malaquita… Hizo entonces un acto de suprema rebeldía, acto de artista: declaró que la imaginación y la voluntad pueden ir construyendo una utopía regida por la belleza y hacer surgir un tiempo liso y claro, transparente. La carátula de una de sus joyas declara haber expulsado toda sombra aciaga y asume el compromiso de que sus manecillas sólo puedan contar horas de luz: *Horas non numero nisi serenas.*

Monstruo de papel

ALEBRIJE

SUPLEMENTO DE ARTES DE MÉXICO 1999

SUPLEMENTO DE ARTES DE MÉXICO 1999

El cuerpo aludido

Karen Cordero

ANATOMÍAS Y CONSTRUCCIONES

¿Quién sabe lo que es un cuerpo,
un alma,
y el sitio en que se juntan
y cómo el cuerpo se ilumina y el alma se
obscurece
hasta fundirse, carne y alma,
en una sola y viva sombra?
Octavio Paz, "Pregunta"

Nuestra semejanza corporal es lo que nos une como especie humana y, al mismo tiempo, la particularidad de cada uno de nuestros cuerpos y de nuestras caras es lo que nos separa, nos distingue y nos define como individuos. Pero el cuerpo no sólo nos otorga una imagen; como organismo, también determina y posibilita tanto nuestra experiencia del mundo a través de los sentidos como la manera en que interiorizamos nuestras percepciones por medio de las emociones, los hábitos y la memoria. Desde esta perspectiva, todas las representaciones remiten inevitablemente al cuerpo, particularmente las obras de arte que lo toman como motivo, que traducen algunos aspectos de nuestra experiencia corporal, y que dan constancia de nuestros intentos individuales y sociales de objetivar esta vivencia tan compleja. "El cuerpo aludido", exposición presentada en el Museo Nacional de Arte, busca propiciar la reflexión sobre este tema por medio de un diálogo museográfico entre imágenes y objetos culturales, creados en México desde el siglo XVI al presente, que apuntan hacia las concepciones y los usos metafóricos del cuerpo. La muestra se titula "El cuerpo aludido" porque cualquier representación del cuerpo siempre resulta ser una alusión parcial a lo que suponemos o intuimos como una totalidad, porque concebimos nuestros cuerpos como una unidad, pero difícilmente podemos experimentarlos así. Cada uno de los siete núcleos que conforman la exposición articula un aspecto de la vivencia corporal que se recrea en el arte al interrelacionar obras de distintas épocas. Este recorrido propicia una renovada experiencia del arte, que cuestiona los límites entre lo físico y lo intelectual, y entre el conocimiento de la historia del arte y el conocimiento de uno mismo. En el primer núcleo, "De la levedad del ser", se confronta al público con una serie de representaciones de cuerpos que trasgreden su condición material y de gravedad, ya sea porque levitan, vuelan o se desmaterializan. La imagen de un cuerpo suspendido en el espacio —motivo recurrente en el arte— despierta la memoria corporal de sensaciones primarias y nos lleva a pensar en los límites de nuestra condición terrenal, para luego dar paso a la imaginación y al deseo. "En busca del cuerpo perfecto", el segundo apartado, atestigua cómo, a lo largo de los siglos, los diferentes conceptos estéticos del cuerpo humano "perfecto" han servido para imaginar a la divinidad y, a la vez, para traducir e imponer normas de belleza y valores sociales hegemónicos, así como para motivar el consumo y la autotransformación. En cambio, "El cuerpo de carne y hueso" reúne ejemplos que destacan la particularidad, la idiosincrasia humana y el carác-

ter material y efímero de nuestros cuerpos. Esta mirada, llevada a sus límites, conduce a una reflexión plástica acerca de lo grotesco y lo monstruoso.   A partir de la comparación visual entre cuerpos, tema del cuarto núcleo, "El cuerpo y sus semejantes", se elaboran discursos de identidad biológica e histórica, a la vez que se establecen parámetros para construir la diferencia: clase social, etnia, género y edad. Las imágenes nos permiten relacionarnos con —o distinguirnos de— los cuerpos representados, incluirnos en la escena o mantenernos aparte. En "El cuerpo erótico", el quinto apartado, la obra seleccionada resalta el papel de la mirada y del tacto como vías privilegiadas de conocimiento y comunicación íntima. Desafían las barreras del pudor que nos separan a unos de otros; ponen al descubierto la vulnerabilidad de los cuerpos y la fútil ilusión de ser superiores a los animales, cuando tan cercanos son nuestros instintos. En principio placenteros, los estímulos sensoriales se asocian a una amplia gama de significados sociales y morales que encuentran su despliegue simbólico en las obras de esta sección, donde desfilan el descubrimiento, el afecto, el coqueteo, la tentación, la perversión, la sublimación y el gozo.   Las formas en que el dolor se codifica y se sublima en el tratamiento plástico del cuerpo constituyen el tema del sexto núcleo: "El cuerpo doliente". Por un lado, se reúnen obras que ejemplifican la sistematización de la gestualidad como expresión de dolor y

como vehículo de una narrativa pictórica; en el grito o en el rostro desencajado se devela la soledad humana, se exhibe toda la fragilidad de nuestra naturaleza. Por el otro, se presenta un conjunto de piezas en las que la experiencia corporal del dolor es acentuada o sublimada en aras de la evocación emotiva o simbólica. La significación cultural del dolor como castigo, purificación e, incluso, como camino a la trascendencia, muestra la cercanía de esta vivencia con el placer erótico.   El séptimo núcleo del guión, "El cuerpo fragmentado", congrega obras que renuncian a la unicidad e integridad del cuerpo y que, por medio de su desdoblamiento, fragmentación o sustitución por representaciones deshumanizadas, expresan intenciones diversas, desde la trascendencia divina hasta la alineación física y espiritual. Finalmente, el colofón —con una sala de espejos— reitera y sintetiza la experiencia de deconstrucción y construcción del cuerpo que sustenta el guión, al confrontar al espectador simultáneamente con múltiples versiones de su propia anatomía.   El planteamiento museográfico incorpora elementos de apoyo —poesía, música y la propia estructura espacial— que fomentan una lectura activa de este recorrido que parte del propio cuerpo del visitante. Así, se propone una lectura de la historia de la cultura visual, no desde la cronología ni desde la autoría individual, sino desde la sensorialidad y la subjetividad.   Estas últimas expresan diferentes mentalidades con respecto al cuerpo humano, características de distintos periodos y condiciones históricas. A la vez, su comparación revela continuidades y correspondencias en las estrategias formales y conceptuales con que se aborda el cuerpo, que nos permiten acortar las distancias temporales y dar nuevas significaciones al arte de diferentes épocas por medio de nuestras propias vivencias corpóreas.

Francisco Arturo Marín.
El parto. 1950. Bronce.
32 x 22 x 17 cm.
Detalles.

Yolanda Paulsen.
Surgiendo. 1963. Adobe y
tierra. 30 x 200 x 110 cm.
Detalles.

Página anterior:
Anónimo. Siglo XIX.
*Retrato del capitán de
grabaderos, Don Manuel
Solar y familia. 1806-1808.*
Óleo sobre tela. 207 x 203 cm.
Detalles.

Anónimo. Siglo XVIII.
San Jerónimo.
Óleo sobre tela.
133 x 102 cm. Detalles.

Diez

D

Dianne Pearce

artistas
canadienses
Y EL CUERPO HUMANO

ANATOMÍA. Como seres humanos, estamos expuestos a experiencias —culturales, sociales, espirituales o físicas— y a sucesos que nos afectan. Nuestro cuerpo es el receptor y el depositario del recuerdo de tales hechos. "Permutaciones anatómicas" no es sólo una muestra de anatomía del cuerpo humano, sino que presenta un concepto más amplio: el del aislamiento de las partes de un organismo para averiguar su posición, relaciones, estructura y función. Es una especie de análisis de los hechos que cambian el orden lineal de un conjunto ordenado de objetos tal como los conocemos. ¿El resultado? Permutaciones anatómicas: cambios en el cuerpo y en la psique, transformación física, crecimiento psicológico, conciencia espiritual y entendimiento cultural.

Sin duda, se trata de un asunto que abarca un vasto territorio temático que las artistas abordan de manera específica de acuerdo con su exploración personal. La exposición presenta las diversas interpretaciones de cada artista sobre el hecho de ser humano. Por tanto, aunque las ideas de cambio y cuerpo le dan unidad a la muestra, de ningún modo la encasillan como una exhibición de arte figurativo. Si bien todas aluden al cuerpo de cierta forma, la figura humana puede estar totalmente ausente en sus obras.

Esta muestra, que involucra a diez mujeres artistas de Canadá, no cuenta con un elemento pictórico común, ni tampoco con una técnica particular. En la propuesta de curaduría de "Permutaciones anatómicas" el concepto es el punto central, mientras que la técnica tiene un papel secundario. Esto da por resultado una exposición heterogénea —integrada por fibra, pintura, fotografía, instalación, estampado, escultura y medios alternativos— que constituye un indicador de las tendencias actuales en el arte canadiense.

Las obras pueden agruparse en cinco categorías de acuerdo con las diferentes nociones de permutación anatómica: trasplante, fragmentación, sensibilización, perfección y repulsión.

TRASPLANTE. Con estudios en la tradición del arte figurativo, Lisa Fedak (Guelph, Ontario) descubrió que había pocas imágenes de mujeres que tuvieran algún significado para ella. Por este motivo, acude a su propio cuerpo para registrar y describir su experiencia como ser femenino, lo cual incluye equilibrar su profesión artística con el hecho de tener una familia. Tal vez por las frecuentes mudanzas en su infancia, Fedak acepta vivir en un pequeño pueblo mientras lucha con la necesidad de un escenario artístico urbano. Al estudiar la noción de la colocación, el cuerpo se convierte en una unidad de contención que puede desarraigarse, moverse o ubicarse en otra parte.

Mientras Fedak habla de mover continuamente el recipiente (cuerpo) de un lugar a otro, Karen Michelsen (Montreal) aborda la diversificación cultural inherente al cambio de territorio. Hija de inmigrantes, se ve a sí misma como alguien que da y toma lo necesario de su nuevo ambiente para enriquecer la cultura ya mezclada de su nuevo hogar. Michelsen usa la tela como metáfora de los diversos niveles que forman su visión del mundo, la cual consiste en retazos de historia colectiva. Para ella, el cuerpo es un vehículo selectivo de recuerdos cuya evocación revela solamente lo que uno elige rememorar.

Karen Michelsen.
Buscando Eldorado.
1998. Organza, satín y
base de metal.
244 x 609 x 198 cm.

Página anterior:
Lisa Fedak.
Endless Columns of Bellies.
1994. Yeso aplicado en capas
de cartón, yeso emplastado,
vendas de yeso.
122 x 31 cm cada panel
de una serie de cuatro.

Millie Chen.
Crave. 1993. Cucharas de
madera, especias y
alfarería. 305 x 244 cm.

FRAGMENTACIÓN. En una veta similar, Jeannie Thib (Toronto) examina la forma humana dentro de su historia, la producción cultural y la identidad. De fuentes históricas como el arte, los textiles, los mapas y los manuales, toma imágenes editadas y alteradas para combinarlas con otras contemporáneas; así, crea piezas mixtas en las que objetos del pasado y del presente coexisten en armonía. Sus conjuntos de partes aisladas están dispuestos secuencialmente para permitir una lectura interrelacionada y, a la vez, independiente. Esta amalgamación es una metáfora de la fragmentación, un concepto que obliga a los humanos a dejar una huella al crear y organizar. Para Thib el cuerpo se transforma en un archivo histórico y en una región de la imaginación: territorio de incertidumbre.

Dianna Frid (Vancouver, Nueva York) hace una vaga referencia al tiempo, al lugar y a los contextos cambiantes. Toma imágenes genéricas de diccionarios gráficos y material didáctico (manuales, mapas y guías), y las aplica a telas usando la transferencia térmica por láser. De este modo reconoce intencionalmente la relación entre la tecnología y las labores manuales, como la costura. Al separarse de sus respectivos contextos, imágenes misceláneas se combinan en uno nuevo, casi siempre absurdo u obsesivo, en el que actúan como personajes a los que se les ha asignado un nuevo papel. Sus paisajes se vuelven símbolos de palabras que forman narrativas distintas de las originales. Los diagramas aplicados a la tela transforman las imágenes de genéricas a personales, de conocibles a interpretativas o ambiguas. Frid subvierte así los sistemas empíricos de representación, cuestiona la calidad lineal de la narrativa tradicional y alude a las incongruencias inherentes en los sistemas.

SENSIBILIZACIÓN. Millie Chen (Toronto) trabaja con el cuerpo como organismo sensorial y barómetro cultural, como una herramienta que se usa para medir recuerdos de los recorridos de una cultura a otra. La cultura se comunica a través de los alimentos y del refugio, por lo que la inteligencia sensual del cuerpo puede transmitir un recuerdo psíquico y físico. Chen busca recrear los peregrinajes a nuevas culturas al reubicar los objetos en metáforas que estimulan los sentidos del gusto y del olfato. El viajero entra en una nueva cultura y la experimenta a través de la boca, que es el pasaje oral con el que compartimos el ritual de la comida y es también la herramienta con la que participamos del ritual del habla.

En mi obra (Dianne Pearce, Montreal) contrasta la conciencia con la carencia sensorial. Abordo el uso en nuestra sociedad de imágenes de estilos de vida idílicos a través de cuerpos trazados con aerógrafos que dictan lo que es "normal" y lo que se utiliza hoy para homogeneizar a los seres humanos y convertirlos en moldes o estereotipos. Este hecho pasa inadvertido para la mayoría de la gente que vive sin sensibilidad, engullendo vorazmente las normas que le dan a cucharadas. Presento aparatos mecánicos que pueden despertar nuestros sentidos anestesiados: anteojos y prótesis auditivas, entre muchos otros. Estas piezas, compuestas por diminutas partes de metal, vidrio y objetos electrónicos, pueden colgarse o insertarse en nuestro cuerpo. Para ayudar a la gente a tomar conciencia de sus facultades sensoriales, elaboro gafetes bordados a mano con dibujos anatómicos detallados y coloridos sobre los cinco sentidos.

PERFECCIÓN. El ideal impuesto, siempre inalcanzable, tiene un papel central en la obra de Steffani Frideres, Gretchen Sankey y Carolyn Pinder. Frideres (Calgary) aborda la devaluación de las mujeres que no se ajustan a los parámetros del tamaño, forma y peso ideales dictados por los medios de comunicación. Pone de manifiesto

Steffani Frideres.
Body glove.
Emulsión fotográfica
sobre tela.
60 x 88 x 30 cm.

Página siguiente:
Gretchen Sankey.
The Bible According to Barbie.
1995. Óleo sobre tela.
64.8 x 83.8 cm, cada escena de
una serie de ocho.

canadienses

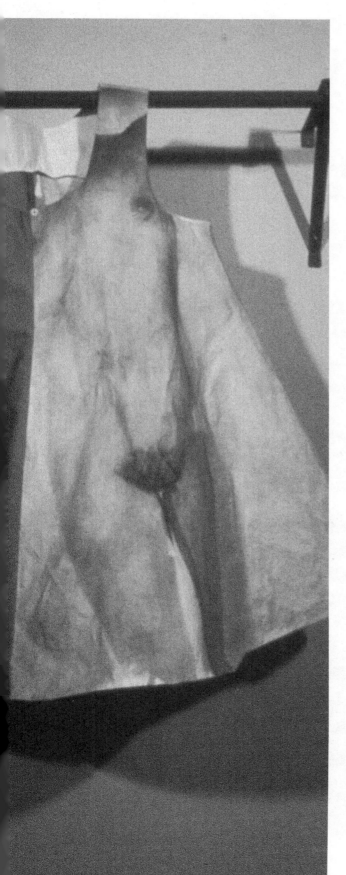

nuestra tendencia a devaluarnos unos a otros, a señalar nuestras diferencias y a participar activamente en el deseo de reflejar un ideal. Convencida de que las mujeres son alimentadas con información manipuladora generada por las industrias de la moda, las dietas, los ejercicios y los cosméticos —que prometen belleza, juventud y esbeltez—, Frideres considera que el resultado es un sentimiento de insatisfacción: el bienestar del cuerpo como un todo se reemplaza por su categorización sistemática en partes para el beneficio económico de sus respectivos mercados.

Gretchen Sankey (Toronto) toca el tema del ideal al que aspiran las niñas: la muñeca Barbie. Examina cómo la política sexual de los cuentos de hadas inserta amenazadoras representaciones visuales presentes en canciones de tradición popular y en historias bíblicas, para hacer hincapié en la intersección conceptual de la fe, la sexualidad y la violencia de la sociedad actual. En su obra, una niña proyecta sus fantasías sexuales preadolescentes —seguramente producto de una educación cristiana confundida por el sadismo sexual en los medios de comunicación—, en muñecos como Barbie, Ken y G.I. Joe, todos ellos modelos idealizados y totalmente absurdos. Los muñecos se han usado durante mucho tiempo como ayuda psicodramática para que los niños proyecten su complejo mundo interno en el reino de lo concreto. Las pinturas de Sankey revelan una peculiar colisión del consumismo, la iconografía, cristiana, la sexualidad y la violencia inminente.

Carolyn Pinder (St. Catherines, Ontario) reflexiona acerca de la inocencia y lo idílico de los recuerdos de infancia. Para ilustrar esto, nos cuenta cómo jugaba con su hermana; de noche, se acostaban en el suelo y fingían no tener nada: ni cama ni comida. Al cabo de un rato, se regalaban la comodidad de una almohada, luego una sábana, después una manta y al final, la cama. Según Pinder, la gente a menudo piensa en su infancia con sentimentalismo, como una época ingenua e idílica. Sin embargo, ella sostiene que los niños experimentan muchas tragedias que aceptan y expresan en sus juegos. En su obra, canciones e historias infantiles bastante trágicas y violentas fungen como recordatorios de que la infancia es platónica sólo en nuestra propia memoria.

REPULSIÓN. A diferencia de Frideres, Sankey y Pinder, Catherine Heard (Toronto) explora dualidades incongruentes, a veces repulsivas, pero inherentes a la forma humana. Crea objetos de irreconciliable dualidad que generan atracción y rechazo. Sus piezas, rica y bellamente trabajadas, invitan al espectador a acercarse hasta el punto en que reconozca lo deformado de manera grotesca y se retire con rechazo. Ni siquiera las meticulosas superficies de las piezas ocultan lo desfigurado. Estos objetos horrorosos producen una incómoda tensión en quien los ve; nos alarman y, al mismo tiempo, nos mueven a protegerlas y alimentarlas. La naturaleza obsesiva del bordado es la clave de las neuróticas piezas de Hard: evocan a la mujer victoriana cuya manera compulsiva de coser no era más que una salida para su histeria.

PERMUTACIONES. Del trasplante a la fragmentación, de la sensibilización y la perfección a la repulsión, estas diez artistas examinan minuciosamente las ideas en torno al hecho de ser humanos. Las partes individuales que yacen torcidas en la plancha de examen de alguna manera se reúnen para formar un nuevo cuerpo, distinto al que conocíamos, ahora enriquecido por experiencias, crecimiento, conciencia, entendimiento. El resultado: "Permutaciones anatómicas".

ESTA EXPOSICIÓN FUE PRESENTADA EN EL CENTRO NACIONAL DE LAS ARTES DE LA CIUDAD DE MÉXICO, DEL 23 DE MARZO AL 25 DE ABRIL DE 1999.

Gerardo Montiel
un imaginario posible

JOSÉ ANTONIO RODRÍGUEZ

Insomnia.
1995-1999.

Página anterior:
Háblame de tus sueños y te
hablaré de tus despertares.
1995-1999.

Portada:
Ykytys.
1995-1999.

LA GESTACIÓN. En 1995, al comenzar el proyecto "Transmigración" —que inicialmente se llamó "El sueño"—, Gerardo Montiel Klimt reflexionaba sobre los orígenes de sus imágenes. En ellas "buscaba armar un mundo aparte, un mundo al cual aspirar, en donde no exista la obsesiva necesidad de un universo lógico y coherente como en el que tan apática, terrenal y mundanamente se ha convertido este fin de siglo". Aquellas primeras construcciones visuales con las que Montiel se daba a conocer en el medio fotográfico mexicano podían abordarse desde una óptica freudiana. Sin embargo, hacerlo en estos últimos años del siglo sería reducir significativamente sus expresiones o sólo acercarse unidireccionalmente a ellas. * Ciertamente, varias de sus resoluciones iconográficas tendrían, para algunos estudiosos freudianos, un simbolismo unívoco. Un ejemplo es el recurso reiterado del pescado, eje fundamental de varias imágenes. Sigmund Freud, en su célebre libro *La interpretación de los sueños*, atribuía a algunos animales de la mitología y el folclor —el caracol, el gato y, sobre todo, la serpiente— el símbolo del miembro viril. Incluía también al pez, aunque ciertamente no al pescado. La casa (o una habitación) simbolizaría, a su vez, los genitales femeninos, mientras que los niños representarían indistintamente los órganos genitales en los sueños de hombres y mujeres. * Si la lectura de la obra de Montiel se redujera al simbolismo de Freud —sólo porque su proyecto arrancó con el tema de los sueños, aunque luego se modificó— varias imágenes se quedarían en un contenido aparente. Así, *Totem y tabú* (curiosamente el título de un estudio de Freud) —notable fotografía que en delicada resolución representa un pescado dentro de una jaula (casa) de pájaros— nos acercaría a la más explícita simbolización del coito. Así también la desnudez de Montiel en su autorretrato *Licántropo mayor* o la del niño dormido de *Háblame de tus sueños* (con fuertes paralelismos con *El sueño de los pobres* de Lola Álvarez Bravo) sería un sueño exhibicionista ligado a lo sexual. Y otras tantas imágenes serían realizaciones oníricas, "realizaciones de los deseos", concretadas por el fotógrafo a través de sus imágenes-sueño. * Pero Freud escribió: "Éstos [los símbolos oníricos] poseen, con frecuencia múltiples sentidos y su significación exacta depende en cada caso, como sucede con los signos de la escritura china, del contexto en que se hallan incluidos". De ahí que la visión freudiana tome todo con cautela, que hable de una cierta "plasticidad del material psíquico" y de una interpretación que no es radical ni inflexible. Esto llevó al fotógrafo a decidir que el proyecto podría abordarse mejor desde una historia cultural propia, con los modos de representación que erigirían una iconografía personal. Esos caminos ampliarían este panorama y conducirían hacia aquel "mundo aparte" del que Montiel hablaba en sus inicios. **UNA HISTORIA PROPIA.** En la fotografía mexicana, el síntoma de los ochenta fue el del choque y acomodo. De acercamiento y repulsión entre la inamovible tradición fotodocumentalista y la llamada foto construida. De ese encuentro surgió una sólida corriente que accedió libremente a la escenificación conceptual (una propuesta nada nueva, en realidad, pero que en esos años adquirió su auge y razón posmodernista). En esencia, se estaba manifestando la libertad de elegir un objeto que, en la puesta en escena, construye un significado. Ese acto renovador contó, como toda corriente transgresora, con notables experimentadores (Salvador Luteroth, Jesús Sánchez Uribe, Agustín Estrada) que recurrieron al acomodo, al diseño, a la manipulación y al trazo escenográfico como significados de elaboración estética. De ellos aprendió la siguiente generación de fotógrafos. Ya era un hecho indetenible que el objeto y la figura del sujeto, en su interacción con el espacio, ofrecían soluciones visuales de representación insospechadas, personales y obsesivas. Esto resultó, para muchos, el mejor camino en su búsqueda fotográfica. * En los noventa, se sumó a esta tendencia un hecho impre-

visible y aparentemente poco determinante: la incertidumbre por el presente o el futuro inmediato, la fragilidad de las circunstancias históricas, la desazón en un mundo finisecular. Muchos jóvenes fotógrafos, surgidos en los albores de esa década, pasaron entonces de una historia inmediata a una historia personal de significaciones para sí. No en el sentido de una huida, sino de una introspección. No como el reflejo de las circunstancias públicas, sino de las privadas. Por eso no es casual que surjan la desolación, el intimismo, el desamparo, la desesperanza, la idealización de un "mundo al cual aspirar", como dice el propio Montiel, como modos introvertidos de representación. La aparente realidad inmediata de la imagen tiene que buscarse, así, en lo más escondido de las motivaciones personales y en los aspectos conceptuales de su escenificación plástica. Precisamente eso permitirá la construcción de los mundos propios; un microcosmos que arroja para sí su particularidad. Las motivaciones simbólicas en la fotografía de esta generación de fin de siglo tienen que buscarse también en sus fobias y sus deseos. No es de extrañarse que en diversas imágenes de Montiel prevalezca un escenario apacible. Un *sumergirse* (que también es un irse) en un universo marino de elaboración fantástica e irreal, pero adecuada a las visiones de su creador. Un mundo que quiere ser visto desde los ojos de un pez: una transmigración (pasar el alma de un cuerpo a otro, una metempsicosis) idealizada. Prevalece, también, una idea que parte de los pueblos primitivos, pasa por Platón y llega a las religiones indias como creencia fundamental: "después de la muerte del hombre su alma puede animar otro cuerpo: de hombre, de animal o de planta" (Walter Brugger). Por eso en la obra de Montiel la mirada y el órgano de visión se transfiguran en los personajes que ya no ven con sus ojos sino con la nueva mirada animal que han asumido (*Prudente visionario, Hurgador de escenas, Flechador de instantes infinitos*). Por eso también la mirada humana suele quedar evadida, truncada, oculta y una nueva visión se edifica: la de la ficción fantástica, donde ya no hay una "necesidad del universo lógico y coherente". Un mundo a veces asfixiante en su barroquismo pero que ha sido transformado como espacio de vivencia (*Dador de vida*). Un mundo asombroso sólo habitable desde la transmigración. Un microuniverso encontrado al fin vía la escenificación fotográfica. **UNA ICONOGRAFÍA NEOPICTORIALISTA.** No fue casualidad que, hacia finales del siglo XIX, el pictorialismo fotográfico coincidiera con el florecimiento del simbolismo pictórico y asumiera una manipulación de los procesos (la goma bicromatada y el carbón tuvieron en ese periodo su gran expansión). Los niveles de representación requirieron de otras soluciones y acabados: se ponía especial cuidado en los valores tonales, en el difuminado de la escena y las figuras, en la luminosidad, en el foco suave, y se seleccionaba papel de un grano texturizado (lo que equiparaba a la fotografía con el impresionismo). Delicadas imágenes aquéllas para un mundo positivista: paisajes bucólicos, telas suaves, flores, delicadeza en las poses. * Un segundo acercamiento a la obra de Gerardo Montiel nos remitiría al pictorialismo: fondos lumínicos indefinidos en su acabado (desenfoque), negros profundos que pierden los detalles y que se entrelazan gradualmente con los claros, uso reiterado de telas en escenografías y sujetos, tonos cálidos o una impresión suave y texturizada en general. Dos sensuales retratos femeninos (*Insomnia* y *La que todo lo purifica*) parecen asumir completamente su herencia de ese antiguo pictorialismo, salvo por un detalle: los cuerpos y las cabezas cercenadas de pescados colocados sutilmente junto a las modelos. Ese gesto fantástico cambia todo el sentido; la acción escénica va *in crescendo* por la sorpresa causada por tan inimaginada zoología: peces-pájaro suspendidos en su quietud enjaulada (*Tótem y tabú I*); peces que ascienden hacia el cielo dramático (*Ykytys*); peces sin cuerpo de doble cola o cabeza (*Tótem y tabú I y III*); peces-deidades de una nueva razón (*Patriarca* o *Adoratorio*); peces-inscripción de lenguaje hermético; peces mutantes en su múltiple videncia (*Devorador de quimeras*); lúdicos peces-mecánicos (*Instrumento de vuelo*). Peces siempre cambiantes y de etérea ambigüedad que intrínsecamente arman una inquietante e imprevista naturaleza muerta. (Acaso sólo prefigurada en el cómic o en el cine fantástico de acabados góticos, en donde lo híbrido y lo decrépito se amalgaman en una confusión). * Pero hay aquí una naturaleza muerta más cercana al término francés *nature morte* que establece —como acertadamente señala el historiador John S. Taylor— una relación entre la vida y la muerte. Porque el pez (muerto, fuera de su elemento) se ha insertado en un acto de representación nueva, vital. Y los peces dinamizados en dependencia con los sujetos y los espacios son parte de la acción de un mundo mutable, transformado y *transmitido* por su autor. Esto es precisamente lo que desequilibra toda concepción clasicista de la naturaleza muerta en las imágenes de Montiel. Porque la suya es una naturaleza más motivada por la ficción y el imaginario. Imaginario que, como tal, reelabora una información a imagen y deseo de una nueva realidad, la del fotógrafo; imaginario que, desde la libre elaboración, todo lo ha permitido. Entre la introspección personal y las nuevas circunstancias de una fotografía finisecular es, pues, como se edifican esos mundos insólitos. * **LA EXPOSICIÓN "TRANSMIGRACIÓN"** **DE GERARDO MONTIEL KLIMT SE PRESENTÓ EN EL CENTRO DE LA IMAGEN DEL 11 DE FEBRERO AL 31 DE MARZO DE 1999.**

Prudente visionario.

1995-1999.

FONDO DE CULTURA ECONÓMICA
LIBROS PARA IBEROAMÉRICA

Obras completas de Octavio Paz
Tomo XIII: *Miscelánea I. Primeros escritos**

El Fondo de Cultura Económica y Círculo de Lectores presentan el tomo XIII de las *Obras completas* de Octavio Paz. Esta magna edición, dirigida por el Premio Nobel, se ha venido publicando desde 1994. En un futuro próximo aparecerán los tomos XII: *Obra poética II* y XIV: *Miscelánea II*.

El tomo XIII reúne los escritos de juventud de Octavio Paz en el periodo que va de 1930 a 1945. Según lo confiesa el propio autor en el prólogo especialmente escrito para el presente tomo, entre el llamado de la vocación y el aprendizaje de un arte como la escritura median la revelación, las lecturas, las admiraciones, la imitación y la invención en un terreno donde la palabra poética y la reflexión se abren paso para develarnos una particular visión del mundo: la de un joven escritor mexicano en pleno periodo formativo que, nutriéndose lo mismo de la tradición que de la vanguardia, intentaba explorar otras vías. Itinerario de esta exploración, de sus búsquedas y encuentros, el tomo de *Primeros escritos*, en edición de su autor, se convierte en estación obligada para el lector curioso de la obra paciana pues ahí encontrará los horizontes y encrucijadas que enfrentó el joven Paz en su vocación a la poesía.

La primera parte del volumen, titulada "Primera instancia", incluye poemas escritos desde la época en que Paz tenía dieciséis años hasta las primeras versiones de poemas que, transfigurados, conformarían *Libertad bajo palabra*, primera suma poética del autor, recogida más tarde en *Obra poética I*, tomo XI de sus *Obras completas*. Así, en esta primera parte, aparecen cuatro poemas inéditos de 1930 y 1931 ("Nocturno", "Vocación I", "Vocación II" y "Poema de la mujer asesinada"), y las primeras tentativas de *Luna silvestre* (1933), *Raíz del hombre* (1935-1936), *Bajo tu clara sombra* (1935-1938), *Noche de resurrecciones* (1939), *A la orilla del mundo* y *Entre la piedra y la flor* (1937-1940). También se recogen poemas que no habían vuelto a publicarse como *Cantos españoles* (1936-1937), que incluyen "¡No pasarán!" y "Oda a España", y los poemas de *Vigilias* (1938-1943), incluidos de manera dispersa

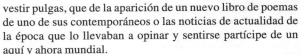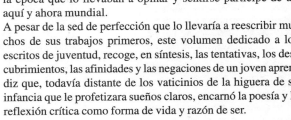

en revistas de la época, salvo "La hora", poema de 1941, publicado ahora por primera vez.

La segunda parte del volumen reúne la mayoría de los textos en prosa de juventud escritos entre 1931 y 1945. Publicados originalmente en *Barandal, Taller, Letras de México, El Hijo Pródigo, Sur* y *Novedades*, entre otras revistas, diarios y suplementos, estos textos fueron reunidos en una primera edición de 1988 que llevó por título *Primeras letras*. En nuestra edición, conforme con el autor, les hemos dado una nueva ordenación temática. Según Paz, estas páginas, testimonio de los años de formación de un joven enamorado de la poesía y de la literatura, deben leerse como las señales y los rastros de una exploración solitaria, reveladora de sus admiraciones y antipatías, de sus creencias y sus incertidumbres. Desde las preocupaciones de una estética fundacional para América en "Ética del artista" de 1931, el joven Paz toma partido, como lo quería Baudelaire, por una literatura moderna y crítica. De esta forma, sus reflexiones convierten a su materia de preocupación en literatura viva, atenta lo mismo del efímero arte de vestir pulgas, que de la aparición de un nuevo libro de poemas de uno de sus contemporáneos o las noticias de actualidad de la época que lo llevaban a opinar y sentirse partícipe de un aquí y ahora mundial.

A pesar de la sed de perfección que lo llevaría a reescribir muchos de sus trabajos primeros, este volumen dedicado a los escritos de juventud, recoge, en síntesis, las tentativas, los descubrimientos, las afinidades y las negaciones de un joven aprendiz que, todavía distante de los vaticinios de la higuera de su infancia que le profetizara sueños claros, encarnó la poesía y la reflexión crítica como forma de vida y razón de ser.

*Volumen de 436 páginas, con ocho ilustraciones en blanco y negro entre las que se encuentran fotografías inéditas del joven Paz, portadas de sus primeros libros y plaquettes, así como reproducciones de sus colaboraciones en diarios y revistas de la época.

En los cincuenta años de la primera edición de *Libertad bajo palabra*

Calendario

MUSEOS

ANTIGUO PALACIO DEL ARZOBISPADO
MARZO 8-MAYO 2:

Gráfica crítica. La guerra 1920-1924 de Otto Dix. Aguafuertes y litografías. La obra de este expresionista alemán refleja la importancia que esa corriente estética otorgó a las artes gráficas como instrumento masivo de impacto político.

MAYO 20-SEPTIEMBRE 19:

Chabela Villaseñor. Documentos, fotografías y retratos en torno a esta musa de Manuel Álvarez Bravo, José Chávez Morado y Raúl Anguiano.

MONEDA 4. CENTRO HISTÓRICO.

5521 4675. 5518 5592.

CENTRO DE LA IMAGEN
MARZO-MAYO:

Christer Strömholm. Fotografía. Retrospectiva del llamado decano de la fotografía de los países bálticos, ganador del prestigioso premio Hasselblad.

MAYO-JUNIO:

Tercera bienal de fotoperiodismo. Colectiva.

PLAZA DE LA CIUDADELA 2. CENTRO HISTÓRICO.

5709 5974. 5709 5914. 5709 6095.

EX-TERESA ARTE ACTUAL
MARZO 19-MAYO 9:

En busca del lugar no conquistado. Instalación. Muestra de 15 artistas radicados en Guadalajara.

MAYO 14-JUNIO 20:

Tres artistas de Colombia. Fernando Arias, Carlos Blanco y Oswaldo Macías. Instalación.

JUNIO 25-JULIO 18:

Intervenciones. Lourdes Grobet, Santiago Sierra y Michael Coombs intervienen el edificio que alberga a Ex Teresa Arte Actual.

LIC. VERDAD 8. CENTRO HISTÓRICO.

5522 9093. 5522 2721.

MARCO, MUSEO DE ARTE CONTEMPORÁNEO
MARZO 12-MAYO:

Enrique Guzmán. Su destino secreto. Retrospectiva del precursor del neofigurativismo en México.

ABRIL 16-MAYO:

Cartier Bresson. Fotografía. Barrios pobres retratados por el ojo surrealista de este notable artista francés.

ZUAZÚA Y OCAMPO S/N, MONTERREY, NUEVO LEÓN.

(8) 342 4820. 342 4830.

MUSEO CASA ESTUDIO DIEGO RIVERA Y FRIDA KAHLO
MARZO 23-JULIO 25:

Las peregrinas. Mujeres extranjeras que dejaron huella en la memoria cultural de México: Alma Reed, Angelina Beloff, Remedios Varo y Ninfa Santos, entre otras.

JUNIO 8-JULIO 25:

Misiones culturales: los años utópicos. Homenaje a la labor cultural de José Vasconcelos, Ramón Alva de la Canal, Fermín Revueltas y Diego Rivera, entre otros.

JUNIO 15-JULIO 25:

Las muy pintadas y las que se pintan solas. Exposición que reconoce a las mujeres que han destacado en el escenario cultural mexicano: Pita Amor, Dolores del Río, Virginia Fábregas, Lola Álvarez Bravo, Lucha Reyes y Matilde Landeta, entre otras.

DIEGO RIVERA Y ALTAVISTA. SAN ÁNGEL.

5550 1518. 5550 1189. 5616 0906.

MUSEO DE ARTE CARRILLO GIL
MARZO 27-MAYO 31:

Felice Varini. Instalación. Con la proyección de formas geométricas y la aplicación de colores primarios, este artista de origen suizo logra alterar los elementos arquitectónicos del espacio.

ABRIL 21-JULIO 4:

Colección Eugenio López. Pintura, escultura, fotografía e instalación. Conjunto de obras del arte contemporáneo internacional.

ABRIL 21-MAYO 23:

Carlo Poloni. Instalación. Artista suizo.

MAYO 6-JUNIO 27:

Graciela Iturbide. Fotografía. Obra reciente lograda a partir de la investigación de la fotografía de paisaje.

MAYO 12-JULIO 11:

Colección Aurelio López Rocha. Pintura, escultura, fotografía e instalación. Muestra de obra del arte contemporáneo internacional.

REVOLUCIÓN 1608. SAN ÁNGEL.

5550 1254. 5550 6284.

MUSEO DE ARTE MODERNO
MARZO 25-JUNIO 13:

Sobre la duda. Ignacio Salazar. Pintura. Alrededor de 30 obras de este artista mexicano, ubicado en la corriente abstracta.

ABRIL 8-JULIO 4:

Ruptura. Rufino Tamayo, Manuel Felguérez, Lilia Carrillo, Vicente Rojo, Carlos Mérida y Xavier Esqueda, entre otros. Selección del acervo del museo.

ABRIL 8-JULIO 4:

El gran circo del mundo. Nahum B. Zenil. Pintura, arte objeto e instalación.

MAYO 20-AGOSTO 15:

Max Kaminski. Pintura. Alrededor de 40 óleos de este artista contemporáneo alemán.

JULIO 1-SEPTIEMBRE 9:

Gustavo Pérez. Cerámica.

REFORMA Y GANDHI. BOSQUE DE CHAPULTEPEC.

5553 6233. 5211 8729. 5211 8331.

MUSEO DEL PALACIO DE BELLAS ARTES
MARZO 3-JUNIO 6:

Manuel González Serrano. El hechicero. Pintura y gráfica. Retrospectiva del artista jalisciense.

MARZO 24-JUNIO 26:

Rómulo Rozo. Escultura. Homenaje a este artista colombiano, residente en México durante varios años.

ABRIL 14-JULIO 18:

El arte de Cartier. Resplandor del tiempo. Retrospectiva de 100 años de alta joyería.

AV. JUÁREZ Y ÁNGELA PERALTA.

CENTRO HISTÓRICO. 5512 2593.

MUSEO DOLORES OLMEDO PATIÑO
FEBRERO 23-MAYO 16:

Sam Vanni. Pintor finlandés. Un conjunto de 65 obras del más importante pintor abstracto de Finlandia.

AV. MÉXICO 5843. LA NORIA XOCHIMILCO.

5555 1016. 5555 0891.

MUSEO FRANZ MAYER
MARZO 3-MAYO 30:

De juguetes y más... Muestra presentada desde el punto de vista del coleccionista. Incluye varias piezas de la colección Girard del Museo de Nuevo México.

ABRIL 28-JUNIO 27:

El arte de la medicina del Tíbet.

JULIO 14-SEPTIEMBRE 5:

Cerámica de Mata Ortiz, Chihuahua.

HIDALGO 45. CENTRO HISTÓRICO.

5518 2265 AL 71.

MUSEO JOSÉ LUIS CUEVAS
JUNIO 19-JULIO 29:

De papel y de tijeras. Humberto Spíndola. Papel picado.

JUNIO 24-SEPTIEMBRE 2:

Rembrandt. Fototipos impresos a finales del siglo XIX de Rembrandt van Rhin.

ACADEMIA 13. CENTRO HISTÓRICO.

5542 6198. 5522 0156.

MUSEO MURAL DIEGO RIVERA
ABRIL 6-JUNIO 13:

Siete pintores en contrapunto. Rodolfo Aguirre Tinoco, Luis Y. Aragón, Susana Campos, Arturo Mecalco, Eleana Menasse, Javier Padilla y Fanny Rabel.

JULIO 1-SEPTIEMBRE 26:

Diego Rivera. Obra inédita. Dibujo.

BALDERAS Y COLÓN. CENTRO HISTÓRICO.

5512 0754. 510 2329.

MUSEO NACIONAL DE ARTE
NOVIEMBRE 25-MAYO 30:

El cuerpo aludido. Anatomías y construcciones. México, siglos XVI-XX. Sugerente recorrido por las diversas representaciones del cuerpo en el arte.

MAYO 20-SEPTIEMBRE 26:

Los pinceles de la historia. El origen del reino de la Nueva España (1680-1750). Miguel Cabrera, José de Ibarra, Francisco Tresguerras y los hermanos Nicolás y Juan Rodríguez Juárez, entre otros.

TACUBA 8. CENTRO HISTÓRICO.

5512 3224. 5512 1684. 5521 2772.

MUSEO NACIONAL DE CULTURAS POPULARES
JUNIO 3-SEPTIEMBRE 12:

Los dioses en el papel amate. Muestra de los diferentes dioses que el pueblo otomí de San Pablito, Pahuatlán, en Puebla, realiza para sus rituales en el papel amate, hecho a mano.

JUNIO 3-SEPTIEMBRE 12:

Arquitectura vernácula. La manifestación arquitectónica en distintas regiones y culturas.

HIDALGO 289. DEL CARMEN COYOACÁN.

5554 83 57. 5658 1265.

MUSEO NACIONAL DE SAN CARLOS
JUNIO-AGOSTO:

Zurbarán y su obrador. Pinturas para el Nuevo Mundo. Muestra itinerante preparada por la Generalitat Valenciana en ocasión del cuarto centenario del natalicio de este excepcional pintor barroco español.

PUENTE DE ALVARADO 50. TABACALERA.

5566 8522. 5592 3721.

MUSEO RUFINO TAMAYO
MARZO 4-MAYO 16:

Fernando González Gortázar. Años de sueños. 1965-1999. Arquitectura, escultura, gráfica, fotografía, animación digital.

JUNIO 3-SEPTIEMBRE 5:

Isamu Noguchi y la figura. Escultura. Este artista estadounidense-japonés, figura indispensable de la escultura contemporánea, participó en el movimiento de integración plástica promovido por José Vasconcelos.

REFORMA Y GANDHI. BOSQUE DE CHAPULTEPEC.

5286 6519. 5286 6529.

MUSEO SOUMAYA
FEBRERO 25-JUNIO 25:

Eros: estragos y bendiciones del primer amor. Representaciones de Eros y Psique, su amada, creadas por Jean Baptiste Carpeaux, Throphime Bigot, Antonio Rossetti y Auguste Rodin.

JULIO:

El arte del biombo. Juan Correa, Miguel Cabrera y pintores anónimos. Biombos de la Nueva España, Asia y Europa.

REVOLUCIÓN Y RÍO MAGDALENA. PLAZA LORETO.

5616 3731. 5616 3761.

MUSEO UNIVERSITARIO DE CIENCIAS Y ARTES
ABRIL 21-MAYO 30:

La colección Patchett. Doble problema. Muestra colectiva multidisciplinaria de arte contemporáneo internacional.

JUNIO 9-AGOSTO 1:
Colección de Mario Moreno. Pintura, escultura y arte objeto.
JUNIO 9-AGOSTO 1:
Umbral sonoro. Ariel Guzik, José Orts y Karen Gotfried. Instalación.
JUNIO 9-AGOSTO 1:
Sureste. Carlos Aguirre, Víctor Muñoz y José Antonio Hernández Amezcua. Instalación.
AL SUR DE LA TORRE DE RECTORÍA. CIUDAD UNIVERSITARIA.
5622 0204. 5622 0305.

MUSEO UNIVERSITARIO DEL CHOPO
ABRIL 28-JUNIO 6:
Palacio de memoria. Manfred Müller. Instalación escultórica.
ABRIL 28-JUNIO 6:
George Woodman. Fotografía.
MAYO 12-JUNIO 27:
Alejandro Pintado. Pintura e instalación.
JUNIO 16-AGOSTO 8:
Decimotercera semana cultural lésbico-gay. Colectiva. Plástica.
MAYO 12-JUNIO 27:
Ernesto Marenco. Arte objeto.
ENRIQUE GONZÁLEZ MARTÍNEZ 10. SANTA MARÍA LA RIBERA.
5546 8490. 5546 5484.

GALERÍAS

ACE GALLERY MÉXICO
ABRIL-MAYO:
Serie mecánica. David Damico. Dibujos.
MAYO-JULIO:
Pintura reciente. James Brown. Pintura y dibujo.
FRANCISCO PIMENTEL 3. SAN RAFAEL.
5566 5144.

ESPACE D´ART YVONAMOR PALIX
MAYO-JULIO:
La mariée. La novia. Yolanda Gutiérrez y Claire Beaulieu. Fotografía, instalación y arte objeto.
MAYO 7-MAYO 11:
Chicago Art Fair. Sandy Skoglund, Azis & Cucher y Yolanda Gutiérrez, entre otros. Feria de arte contemporáneo. Multidisciplinaria.
CÓRDOBA 37-7. ROMA.
5514 5384.

GALERÍA ARVIL
MAYO 7-JUNIO 19:
Treinta aniversario. Colectiva. Rufino Tamayo, Francisco Toledo, Francisco Zúñiga, Arnold Belkin, Javier Arévalo, Juan Calderón y Carlos Mérida, entre otros.
CERRADA DE HAMBURGO 7 Y 9. JUÁREZ.
5207 2707. 5207 2900.

GALERÍA ENRIQUE GUERRERO
MAYO 13-JULIO 24:
Víctor Rodríguez. Pintura.
HORACIO 1549-A. POLANCO.
5280 5183. 55280 2941.

GALERÍA ESTELA SHAPIRO
MAYO 8-MAYO29:
Colectiva. Javier Astorga, Alejandro Chacón, Ismael Guardado y Jesús Martínez, entre otros. Pintura.

JUNIO 5-JUNIO 27:
Colectiva. Luis Granda, Mario Rangel, Palle Frost, Enrique Climent, Jonathan Barbieri y Gunther Gerszo, entre otros. Pintura.
VICTOR HUGO 72. ANZURES.
5254 1916. 5254 2109.

GALERÍA JUAN MARTÍN
ABRIL 21-MAYO 16:
Teresa Velázquez. Obra reciente. Pintura.
MAYO 19-JUNIO 13:
Colectiva de la galería. Pintura, escultura y fotografía.
JUNIO 16-JULIO 11:
Susana Sierra. Horizontes. Pintura.
DICKENS 33B. POLANCO.
5280 0277.

GALERÍA KIN
MAYO 12-MAYO 30:
Sin título. Didier. Pintura.
JUNIO 9-JUNIO 30:
Hiroyuki Okumura. Escultura.
ALTAVISTA 92. SAN ÁNGEL.
5550 8910. 5550 8641.

GALERÍA LÓPEZ QUIROGA
MAYO-JUNIO:
Artistas de la galería. Irma Palacios, Miguel Castro Leñero y José Luis Romo, entre otros. Pintura.
MASARYK 379. POLANCO.
5280 6218. 5280 1247.

GALERÍA METROPOLITANA
MAYO 20-JULIO 25:
Gabriela Arévalo. Pintura.
SEPTIEMBRE 23-NOVIEMBRE 21:
Homenaje a Jesús Escobedo. Gráfica. En reconocimiento al fundador del Taller de la Gráfica Popular.
MEDELLÍN 28. ROMA. 5511 2761

GALERÍA NINA MENOCAL
ABRIL 14-MAYO 17:
Fernando García Correa. Pintura.
ABRIL 14-MAYO 17:
No volverá la tragedia. Jolanta Klyszcz. Instalación.
MAYO 19-JUNIO 20:
Edgar Ladrón de Guevara. Fotografía.
MAYO 19-JUNIO 20:
Rochelle Costi. Fotografía.
JUNIO 23-JULIO:
Carlos Arias. Bordados.
ZACATECAS 93. ROMA.
5564 7209. 5564 7443.

GALERÍA OMR
MAYO-JUNIO:
Artistas de la OMR. Gabriel Acevedo y Francis Alÿs, entre otros.
JUNIO-JULIO:
Dulce María Núñez. Pintura.
PLAZA RÍO DE JANEIRO 54. ROMA.
5511 1179. 5525 3095.

GALERÍA ÓSCAR ROMÁN
ABRIL 21-MAYO 15:
Dando vueltas alrededor. Ricardo Porrero. Pintura.
ABRIL 21-MAYO 15:
Geometría de la memoria. Rosana Durán.
ABRIL 21-MAYO 15:
Liliana Duering. Pintura.
MAYO 19-JUNIO 12:
Horizonte de sucesos. Laura Quintanilla. Pintura.
MAYO 19-JUNIO 12:
Corte de pelo. Alonso Guardado. Pintura y escultura.

JUNIO 16-JULIO 10:
La muestra de Jorge y Rocío Alzaga. Jorge Alzaga. Pintura.
JULIO VERNE 14. POLANCO.
5280 0436. 5281 0270.

GALERÍA PECANINS
ABRIL 27-MAYO 21:
Renato González. Obra reciente. Pintura.
MAYO 25-JUNIO 18:
Mariano Villalobos. Obra reciente. Pintura.
JUNIO 22-JULIO 20:
Perfumes de Carlos Márquez.
DURANGO 186. ROMA.
5514 0621. 5207 5661.

GALERÍA DE LA SHCP
MARZO 1-JUNIO 30:
Divertimento, vacilón y suerte. Objetos encontrados. **Colección Melquiades Herrera.** 1979-1990. Colección de objetos utilitarios y desechables que pese a su etiqueta de *kitsch*, cursis o triviales provocan una lúdica reflexión.
GUATEMALA 8. CENTRO.
5521 4675. 5518 5592.

LA CÚPULA
MAYO:
Felipe Ehrenberg. Estudio-taller del artista, quien abre su espacio de creación para proponer un acercamiento distinto a las obras y su entorno.
NECAXA 125 BIS. PORTALES.
5532 6487 (PARA CONCERTAR CITAS).

POLYFORUM SIQUEIROS, A. C.
MAYO 12-JUNIO 2:
Olivia Guzmán. Escultura.
JUNIO 9-JUNIO 30:
Demetrio Yorden. Pintura.
INSURGENTES SUR 701. NÁPOLES.
5536 4520.

THE GALLERY
MAYO 11-JUNIO:
Quiet cities. Román Revueltas. Acrílico sobre tela.
JUNIO 7-JUNIO 30:
Los artistas de The Gallery. Bertha Kolteniuk, Ashot Rhackkalian, Solange Galazzo. Tres jóvenes de la vanguardia armenia y francesa.
GALILEO 37. POLANCO.
5280 4098. 5540 7429.

UNODOSIETE, ESPACIO CULTURAL
MARZO 11-JUNIO 4:
Piel de cera. Víctor Guadalajara. Pintura, dibujo y grabado.
ORIZABA 127. ROMA.
5264 1421. 5264 3039.

**periodismo
sin concesiones**

5629 2000
http://proceso.com.mx

VOICES
of Mexico

Descubra, a través de excelentes textos e imágenes,

el esplendor de México

en un recorrido por las diferentes manifestaciones

históricas y contemporáneas de su arte y su cultura.

Además, *Voices of Mexico* pone a su disposición

ensayos, crónicas, reportajes y entrevistas sobre economía,

política, ecología y las relaciones internacionales

entre los países de la región de Norteamérica.

Informes: Tel: 659 2349, 659 3821 Fax: 554 6573 E-mail: paz@ servidor.unam.mx
http://www.unam.mx/voices

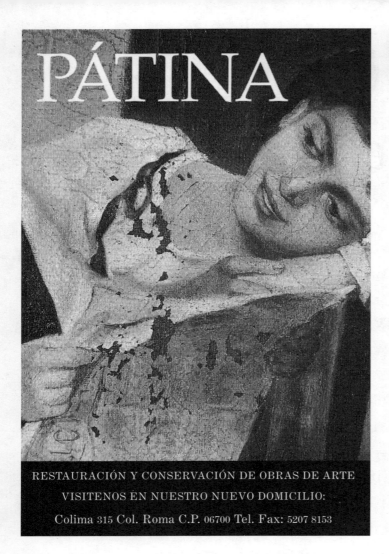

"bienvenido"

La Tarjeta American Express^{MR}
cada día llega más lejos. Rodolfo Neri Vela,
el primer astronauta mexicano
en ir al espacio,
recibe una calurosa
bienvenida hasta
en los sitios más
remotos. De igual
forma, La Tarjeta American Express
es bienvenida en una gran variedad
de Establecimientos a nivel mundial.
No importa a donde vaya,
American Express lo ayuda a hacer más.

326-2626

Llame de 9:00 a 18:00 hrs. para solicitar
La Tarjeta. Del interior, sin costo
al 01 (800) 712-2773.

odolfo Neri Vela.
rimer astronauta mexicano
ı llegar al espacio.
ſiembro desde 1991.

lo ayuda a hacer más

Tarjetas

CERÁMICA DE MATA

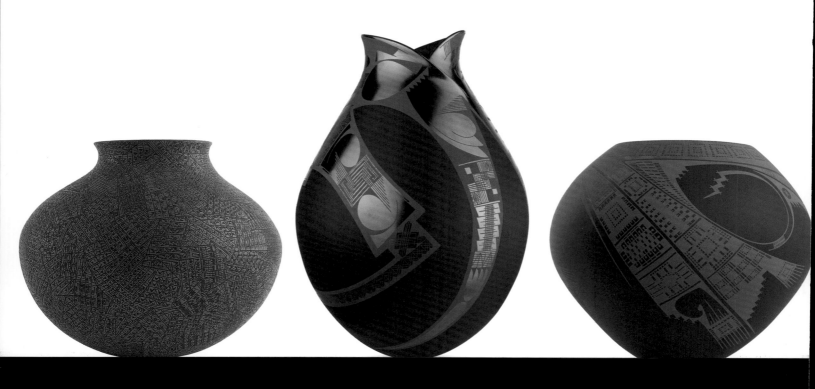

ORTIZ, CHIHUAHUA

EXPOSICIÓN, COORDINADA POR EL MUSEO FRANZ MAYER

A

10 AÑOS · 50 PREMIOS · 45 NÚMEROS

rtes de México cumple diez años y, como aquel día en que reinició su vida editorial, su vocación se alimenta de las mismas pasiones: *fascinación* por los enigmas *complicidad* con la innovación *debilidad* por la belleza.

DE MEXICO

La pasión se comparte

Plaza Río de Janeiro 52.

Colonia Roma 06700, México, D. F.

Teléfonos 5208 3217, 5208 3205. Fax 5525 5925

Correo electrónico artesmex@internet.com.mx

Hay pasiones que desconocen el tiempo...

Noticias frescas importadas de Europa todos los días...

...y no es necesario comprarlas por kilo

EL PAIS

fonart

Arte Popular Mexicano

Fonart apoya a los artesanos de México

Tiendas en la Ciudad de México: Av. Patriotismo 691, Col. Mixcoac ° Av. Juárez 89, Col. Centro
°Presidente Venustiano Carranza 115, Col. Del Carmen Coyoacán.

Tiendas en el Interior de la República: °**Ciudad Juárez, Chihuahua**: Anillo Envolvente Lincoln y Mejía, Conjunto "Pronaf".
°**Guanajuato, Gto**: Casa del Conde de la Valenciana, Km. 5, carretera Guanajuato-Dolores Hidalgo. °**Oaxaca, Oax:** Crespo No. 114, Col. Centro.
°**Querétaro, Qro**: Andador 16 de Septiembre No. 44, Centro Histórico. °**San Luis Potosí, S.L.P**: Jardín Guerrero 6, Centro.
°**Saltillo, Coahuila**: Ignacio Allende Sur 225, Centro.
°**Taxco, Gro:** Interior del Hotel Monte Taxco, Fraccionamiento Lomas de Taxco s/n y ° Juan Ruiz de Alarcón 8, local 1001, Plaza Taxco.

http://www.sedesol.gob.mx./FONART/FONART1.HTM
E-mail: fonart@data.net.mx

Existen obras de arte
que reflejan nuestro pasado.

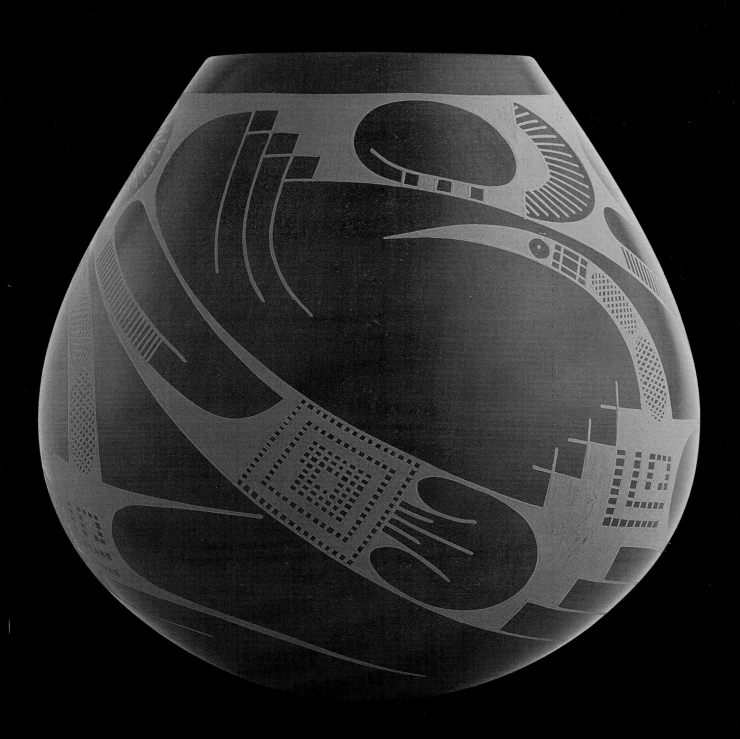

Cerámica de Mata Ortiz.
Arte Mexicano.